Cecília

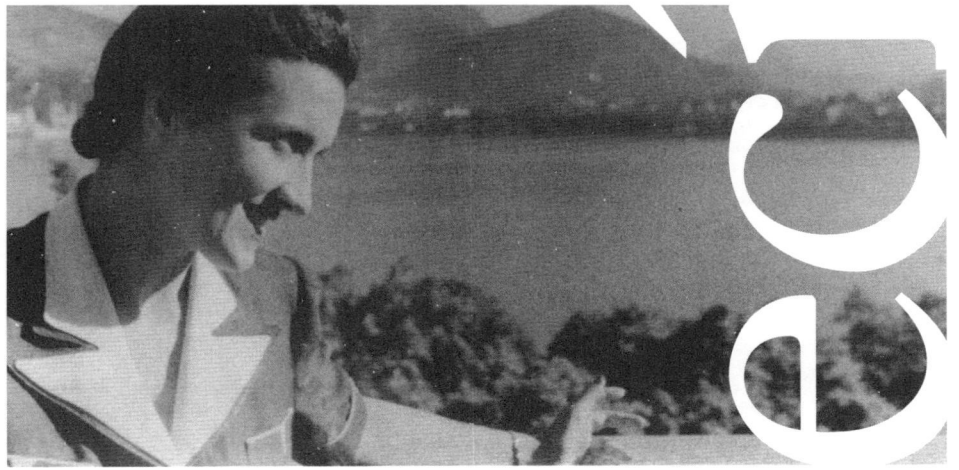

Cecília Meireles Antologia poética

Cecília Meireles Antologia poética

Coordenação Editorial
André Seffrin

© Condomínio dos Proprietários dos Direitos
Intelectuais de Cecília Meireles
Direitos cedidos por Solombra – Agência
Literária (solombra@solombra.org)
3ª Edição, Global Editora, São Paulo 2013
2ª Reimpressão, 2021

Jefferson L. Alves – diretor editorial
Gustavo Henrique Tuna – editor assistente
André Seffrin – coordenação editorial, estabelecimento de texto, cronologia e bibliografia
Flávio Samuel – gerente de produção
Julia Passos e Tatiana F. Souza – assistentes editoriais
Julia Passos – revisão
Victor Burton – capa
Evelyn Rodrigues do Prado – projeto gráfico

Capa: Foto do Acervo Pessoal de Cecília Meireles.

A Global Editora agradece à Solombra – Agência Literária pela gentil cessão dos direitos de imagem de Cecília Meireles.

CIP-BRASIL. CATALOGAÇÃO NA FONTE
SINDICATO NACIONAL DOS EDITORES DE LIVROS, RJ

M453a

Meireles, Cecília, 1901-1964
    Antologia poética / Cecília Meireles ; [organização Cecília Meireles ; coordenação editorial André Seffrin]. – [3.ed.]. – São Paulo : Global, 2013.

    Inclui bibliografia e índice
    ISBN 978-85-260-1778-8

    1. Meireles, Cecília, 1901-1964. 2. Antologias (Poesia brasileira). I. Seffrin, André, 1965-. II. Título.

12-7486.
    CDD: 869.91
    CDU: 821.134.3(81)-1

Obra atualizada conforme o
NOVO ACORDO ORTOGRÁFICO DA LÍNGUA PORTUGUESA

Global Editora e Distribuidora Ltda.
Rua Pirapitingui, 111 — Liberdade
CEP 01508-020 — São Paulo — SP
Tel.: (11) 3277-7999
e-mail: global@globaleditora.com.br

globaleditora.com.br  /globaleditora
blog.globaleditora.com.br  /globaleditora
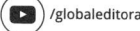 /globaleditora  /globaleditora
 /globaleditora

 Direitos reservados.
Colabore com a produção científica e cultural.
Proibida a reprodução total ou parcial desta obra sem a autorização do editor.

Nº de Catálogo: **3474**

Antologia **poética**

Acervo pessoal de Cecília Meireles

Sumário

Nota à 1ª edição 15

Viagem 17
Motivo 19
Noite 20
Anunciação 21
Retrato 22
Canção 23
Aceitação 24
Som 25
Guitarra 26
Epigrama nº 5 27
Pausa 28
Cantar 29
Destino 30
Epigrama nº 12 32
Metamorfose 33

Vaga música 35
Epitáfio da navegadora 37
Mar em redor 38
Canção da menina antiga 39
Canção excêntrica 40
A doce canção 41
Canção de alta noite 42
Campos verdes 43
Para uma cigarra 44
Encomenda 45
Confissão 46
Naufrágio antigo 47
Explicação 51

Canção do deserto 52

Canção para remar 53

Monólogo 54

Fantasma 55

Eco 56

Despedida 58

Amém 59

A amiga deixada 60

Mar absoluto 63

Noturno 65

Sugestão 67

Irrealidade 69

1º motivo da rosa 71

Desejo de regresso 72

2º motivo da rosa 73

Realização da vida 74

Leveza 75

Desenho 76

4º motivo da rosa 78

Transeunte 79

5º motivo da rosa 80

Noite 81

Dia de chuva 83

Voz do profeta exilado 85

Elegia 1933-1937 86

Retrato natural 97

Ar livre 99

Apresentação 100

Cantarão os galos 101

Elegia a uma pequena borboleta 103

Vigília 105

Balada das dez bailarinas do cassino 106

Serenata 108

Emigrantes 109

Pássaro 111
Canção 112
Canção póstuma 113
Fui mirar-me 114
Improviso do Amor-Perfeito 115
Canção 116
Transformação do dançarino 117
Canção do Amor-Perfeito 118
O afogado 119
Se eu fosse apenas... 122
Fragilidade 123
Desenho leve 124
O cavalo morto 126

Amor em Leonoreta 129
I 131
II 133
III 136
IV 138
VI 140

Doze noturnos da Holanda 141
Três 143
Dez 145
Doze 146

O Aeronauta 149
Um 151
Três 152
Quatro 153
Sete 154
Oito 156
Dez 158
Onze 160

Romanceiro da Inconfidência 163
Cenário... 165
Romance IV ou Da donzela assassinada... 170
Romance V ou Da destruição de Ouro Podre 173
Romance VII ou Do negro nas catas... 177
Romance XI ou Do punhal e da flor... 179
Romance XII ou De Nossa Senhora da Ajuda.................................. 181
Romance XIV ou Da Chica da Silva... 184
Romance XXI ou Das ideias 188
Romance XXIV ou Da bandeira da Inconfidência 193
Romance XXXI ou De mais tropeiros 197
Romance XXXVIII ou Do Embuçado 200
Romance XLVI ou Do caixeiro Vicente 202
Romance LIII ou Das palavras aéreas... 204
Romance LVI ou Da arrematação dos bens do Alferes.................... 207
Romance LVIII ou Da grande madrugada 210
Romance LIX ou Da reflexão dos justos 213
Romance LX ou Do caminho da forca 215
Romance LXI ou Dos Domingos do Alferes..................................... 219
Romance LXII ou Do bêbedo descrente 222
Romance LXIII ou Do silêncio do Alferes 224
Romance LXXXIV ou Dos cavalos da Inconfidência 227

Pequeno oratório de Santa Clara.. 231
Eco 233
Clara.. 234
Vida 235
Luz 236
Glória.. 237

Canções.. 239
"Inesperadamente,"... 241
"Como num exílio,".. 242
"Por que nome chamaremos" 243
"De longe te hei de amar," 244
"Dos campos do Relativo" 245

Nadador 246
Equilibrista 247

METAL ROSICLER 249
1 251
5 252
8 253
9 254
10 255
11 256
13 258
14 259
23 260
25 261
28 262
36 264
37 265
41 266
46 267

POEMAS ESCRITOS NA ÍNDIA 269
Multidão 271
Pobreza 272
Canção do menino que dorme 274
Os cavalinhos de Delhi 276
Banho dos búfalos 277
Adolescente 279
Passeio 281
Santidade 282
Canavial 284
Os jumentinhos 286
Música 288
Estudantes 289
Aparecimento 290
Parada 292
Tecelagem de Aurangabade 294

Romãs 295
Cançãozinha para Tagore 296
Desenho colorido 297
Família hindu 298
Canto aos bordadores de Cachemir 300
Taj-Mahal 301
Anoitecer 303
Praia do fim do mundo 304

Inéditos 305
Solombra 307
Humildade 308
Neste longo exercício de alma... 309
Elegia do tapeceiro egípcio 310
Mapa falso 311
Canção do deserto 312
Arlequim 313
Máquina breve 314
Família 315
As glórias do vento 316
Urnas e brisas 317

Cronologia 319
Bibliografia básica sobre Cecília Meireles 325
Índice de primeiros versos 331

Nota à 1ª edição

Há muita maneira de fazer-se uma antologia e não se sabe qual seja a melhor. Pode-se usar um critério estético, ou didático, ou outros, conforme o objetivo que se tenha em vista. Para o leitor, a melhor antologia é a que ele mesmo organiza, ao eleger, na obra completa de um escritor, aquilo que mais lhe agrada, embora, com o passar do tempo, se possa ver como o gosto pessoal varia, e o que nos agrada numa época já não nos agrada igualmente noutra, tão volúveis somos em nossas preferências e tão diferentes são as perspectivas, no caminho da nossa evolução.

Esta antologia, a primeira que publico – e que representa uma realização tão importante da Editora do Autor, que assim atende à divulgação de livros já esgotados ou de difícil acesso –, para enquadrar-se nas medidas adequadas de uma edição desta natureza, tem de reduzir ao essencial todos os livros que representa. No meu caso, a seleção mais difícil de fazer parece-me a do *Romanceiro da Inconfidência*, dadas suas proporções originais e a extensão de cada poema. Neste caso, foi completamente impossível seguir a sugestão de leitores e amigos, e mesmo as minhas próprias sugestões...

Em compensação, e a exemplo do que foi feito nas antologias anteriores, figuram aqui alguns poemas inéditos, inclusive do livro *Solombra*, atualmente no prelo.

Cecília Meireles
1963

VIAGEM

Motivo

Eu canto porque o instante existe
e a minha vida está completa.
Não sou alegre nem sou triste:
sou poeta.

Irmão das coisas fugidias,
não sinto gozo nem tormento.
Atravesso noites e dias
no vento.

Se desmorono ou se edifico,
se permaneço ou me desfaço,
— não sei, não sei. Não sei se fico
ou passo.

Sei que canto. E a canção é tudo.
Tem sangue eterno a asa ritmada.
E um dia sei que estarei mudo:
— mais nada.

NOITE

Úmido gosto de terra,
cheiro de pedra lavada,
– tempo inseguro do tempo! –
sombra do flanco da serra,
nua e fria, sem mais nada.

Brilho de areias pisadas,
sabor de folhas mordidas,
– lábio da voz sem ventura! –
suspiro das madrugadas
sem coisas acontecidas.

A noite abria a frescura
dos campos todos molhados,
– sozinha, com o seu perfume! –
preparando a flor mais pura
com ares de todos os lados.

Bem que a vida estava quieta.
Mas passava o pensamento...
– de onde vinha aquela música?
E era uma nuvem repleta,
entre as estrelas e o vento.

ANUNCIAÇÃO

Toca essa música de seda, frouxa e trêmula,
que apenas embala a noite e balança as estrelas noutro mar.

Do fundo da escuridão nascem vagos navios de ouro,
com as mãos de esquecidos corpos quase desmanchados no vento.

E o vento bate nas cordas, e estremecem as velas opacas,
e a água derrete um brilho fino, que em si mesmo logo se perde.

Toca essa música de seda, entre areias e nuvens e espumas.

Os remos pararão no meio da onda, entre os peixes suspensos;
e as cordas partidas andarão pelos ares dançando à toa.

Cessará essa música de sombra, que apenas indica valores de ar.
Não haverá mais nossa vida, talvez não haja nem o pó que fomos.

E a memória de tudo desmanchará suas dunas desertas,
e em navios novos homens eternos navegarão.

Retrato

Eu não tinha este rosto de hoje,
assim calmo, assim triste, assim magro,
nem estes olhos tão vazios,
nem o lábio amargo.

Eu não tinha estas mãos sem força,
tão paradas e frias e mortas;
eu não tinha este coração
que nem se mostra.

Eu não dei por esta mudança,
tão simples, tão certa, tão fácil:
– Em que espelho ficou perdida
a minha face?

Canção

Pus o meu sonho num navio
e o navio em cima do mar;
– depois, abri o mar com as mãos,
para o meu sonho naufragar.

Minhas mãos ainda estão molhadas
do azul das ondas entreabertas,
e a cor que escorre dos meus dedos
colore as areias desertas.

O vento vem vindo de longe,
a noite se curva de frio;
debaixo da água vai morrendo
meu sonho, dentro de um navio...

Chorarei quanto for preciso,
para fazer com que o mar cresça,
e o meu navio chegue ao fundo
e o meu sonho desapareça.

Depois, tudo estará perfeito:
praia lisa, águas ordenadas,
meus olhos secos como pedras
e as minhas duas mãos quebradas.

Aceitação

É mais fácil pousar o ouvido nas nuvens
e sentir passar as estrelas
do que prendê-lo à terra e alcançar o rumor dos teus passos.

É mais fácil, também, debruçar os olhos no oceano
e assistir, lá no fundo, ao nascimento mudo das formas,
que desejar que apareças, criando com teu simples gesto
o sinal de uma eterna esperança.

Não me interessam mais nem as estrelas, nem as formas do mar,
nem tu.

Desenrolei de dentro do tempo a minha canção:
não tenho inveja às cigarras: também vou morrer de cantar.

Som

Alma divina,
por onde me andas?
Noite sozinha,
lágrimas, tantas!

Que sopro imenso,
alma divina,
em esquecimento
desmancha a vida!

Deixa-me ainda
pensar que voltas,
alma divina,
coisa remota!

Tudo era tudo
quando eras minha,
e eu era tua,
alma divina!

Guitarra

Punhal de prata já eras,
punhal de prata!
Nem foste tu que fizeste
a minha mão insensata.

Vi-te brilhar entre as pedras,
punhal de prata!
— no cabo, flores abertas,
no gume, a medida exata,

a exata, a medida certa,
punhal de prata,
para atravessar-me o peito
com uma letra e uma data.

A maior pena que eu tenho,
punhal de prata,
não é de me ver morrendo,
mas de saber quem me mata.

Epigrama Nº 5

Gosto da gota d'água que se equilibra
na folha rasa, tremendo ao vento.

Todo o universo, no oceano do ar, secreto vibra:
e ela resiste, no isolamento.

Seu cristal simples reprime a forma, no instante incerto:
pronto a cair, pronto a ficar – límpido e exato.

E a folha é um pequeno deserto
para a imensidade do ato.

Pausa

Agora é como depois de um enterro.
Deixa-me neste leito, do tamanho do meu corpo,
junto à parede lisa, de onde brota um sono vazio.

A noite desmancha o pobre jogo das variedades.
Pousa a linha do horizonte entre as minhas pestanas,
e mergulha silêncio na última veia da esperança.

Deixa tocar esse grilo invisível
– mercúrio tremendo na palma da sombra –
deixa-o tocar a sua música, suficiente
para cortar todo arabesco da memória...

Cantar

Cantar de beira de rio:
água que bate na pedra,
pedra que não dá resposta.

Noite que vem por acaso,
trazendo nos lábios negros
o sonho de que se gosta.

Pensamento do caminho
pensando o rosto da flor
que pode vir, mas não vem.

Passam luas – muito longe,
estrelas – muito impossíveis,
nuvens sem nada, também.

Cantar de beira de rio:
o mundo coube nos olhos,
todo cheio, mas vazio.

A água subiu pelo campo,
mas o campo era tão triste...
Ai!
Cantar de beira de rio.

Destino

Pastora de nuvens, fui posta a serviço
por uma campina tão desamparada
que não principia nem também termina,
e onde nunca é noite e nunca madrugada.

(Pastores da terra, vós tendes sossego,
que olhais para o sol e encontrais direção.
Sabeis quando é tarde, sabeis quando é cedo.
Eu, não.)

Pastora de nuvens, por muito que espere,
não há quem me explique meu vário rebanho.
Perdida atrás dele na planície aérea,
não sei se o conduzo, não sei se o acompanho.

(Pastores da terra, que saltais abismos,
nunca entendereis a minha condição.
Pensais que há firmezas, pensais que há limites.
Eu, não.)

Pastora de nuvens, cada luz colore
meu canto e meu gado de tintas diversas.
Por todos os lados o vento revolve
os velos instáveis das reses dispersas.

(Pastores da terra, de certeiros olhos,
como é tão serena a vossa ocupação!
Tendes sempre o indício da sombra que foge...
Eu, não.)

Pastora de nuvens, não paro nem durmo
neste móvel prado, sem noite e sem dia.
Estrelas e luas que jorram, deslumbram
o gado inconstante que se me extravia.

(Pastores da terra, debaixo das folhas
que entornam frescura num plácido chão,
sabeis onde pousam ternuras e sonos.
Eu, não.)

Pastora de nuvens, esqueceu-me o rosto
do dono das reses, do dono do prado.
E às vezes parece que dizem meu nome,
que me andam seguindo, não sei por que lado.

(Pastores da terra, que vedes pessoas
sem serem apenas de imaginação,
podeis encontrar-vos, falar tanta coisa!
Eu, não.)

Pastora de nuvens, com a face deserta,
sigo atrás de formas com feitios falsos,
queimando vigílias na planície eterna
que gira debaixo dos meus pés descalços.

(Pastores da terra, tereis um salário,
e andará por bailes vosso coração.
Dormireis um dia como pedras suaves.
Eu, não.)

Epigrama Nº 12

A engrenagem trincou pobre e pequeno inseto.
E a hora certa bateu, grande e exata, em seguida.

Mas o toque daquele alto e imenso relógio
dependia daquela exígua e obscura vida?

Ou percebeu sequer, enquanto o som vibrava,
que ela ficava ali, calada mas partida?

Metamorfose

Súbito pássaro
dentro dos muros
caído,

pálido barco
na onda serena
chegado.

Noite sem braços!
Cálido sangue
corrido.

E imensamente
o navegante
mudado.

Seus olhos densos
apenas sabem
ter sido.

Seu lábio leva
um outro nome
mandado.

Súbito pássaro
por altas nuvens
bebido.

Pálido barco
nas flores quietas
quebrado.

Nunca, jamais
e para sempre
perdido
o eco do corpo
no próprio vento
pregado.

VAGA MÚSICA

Epitáfio da Navegadora

A Gastón Figueira

Se te perguntarem quem era
essa que às areias e gelos
quis ensinar a primavera;

e que perdeu seus olhos pelos
mares sem deuses desta vida,
sabendo que, de assim perdê-los,

ficaria também perdida;
e que em algas e espumas presa
deixou sua alma agradecida;

essa que sofreu de beleza
e nunca desejou mais nada;
que nunca teve uma surpresa

em sua face iluminada,
dize: "Eu não pude conhecê-la,
sua história está mal contada,

mas seu nome, de barca e estrela,
foi: SERENA DESESPERADA".

Mar em redor

Meus ouvidos estão como as conchas sonoras:
música perdida no meu pensamento,
na espuma da vida, na areia das horas...

Esqueceste a sombra no vento.
Por isso, ficaste e partiste,
e há finos deltas de felicidade
abrindo os braços num oceano triste.

Soltei meus anéis nos aléns da saudade.
Entre algas e peixes vou flutuando a noite inteira.
Almas de todos os afogados
chamam para diversos lados
esta singular companheira.

Canção da menina antiga

A Diogo de Macedo

Esta é a dos cabelos louros
e da roupinha encarnada,
que eu via alimentar pombos,
sentadinha numa escada.

Seus cabelos foram negros,
seus vestidos de outras cores,
e alimentou, noutros tempos,
a corvos devoradores.

Seu crânio estará vazio,
seus ossos sem vestimenta,
— e a terra haverá sabido
o que ela ainda alimenta.

Talvez Deus veja em seus sonhos
— ou talvez não veja nada —
que essa é a dos cabelos louros
e da roupinha encarnada,

que do alto degrau do dia
às covas da noite, escuras,
desperdiçou sua vida
pelas outras criaturas...

Canção excêntrica

Ando à procura de espaço
para o desenho da vida.
Em números me embaraço
e perco sempre a medida.
Se penso encontrar saída,
em vez de abrir um compasso,
projeto-me num abraço
e gero uma despedida.

Se volto sobre o meu passo,
é já distância perdida.

Meu coração, coisa de aço,
começa a achar um cansaço
esta procura de espaço
para o desenho da vida.
Já por exausta e descrida
não me animo a um breve traço:
– saudosa do que não faço,
– do que faço, arrependida.

A DOCE CANÇÃO

A Christina Christie

Pus-me a cantar minha pena
com uma palavra tão doce,
de maneira tão serena,
que até Deus pensou que fosse
felicidade – e não pena.

Anjos de lira dourada
debruçaram-se da altura.
Não houve, no chão, criatura
de que eu não fosse invejada,
pela minha voz tão pura.

Acordei a quem dormia,
fiz suspirarem defuntos.
Um arco-íris de alegria
da minha boca se erguia
pondo o sonho e a vida juntos.

O mistério do meu canto,
Deus não soube, tu não viste.
Prodígio imenso do pranto:
– todos perdidos de encanto,
só eu morrendo de triste!

Por assim tão docemente
meu mal transformar em verso,
oxalá Deus não o aumente,
para trazer o Universo
de polo a polo contente!

Canção de alta noite

Alta noite, lua quieta,
muros frios, praia rasa.

Andar, andar, que um poeta
não necessita de casa.

Acaba-se a última porta.
O resto é o chão do abandono.

Um poeta, na noite morta,
não necessita de sono.

Andar... Perder o seu passo
na noite, também perdida.

Um poeta, à mercê do espaço,
nem necessita de vida.

Andar... – enquanto consente
Deus que seja a noite andada.

Porque o poeta, indiferente,
anda por andar – somente.
Não necessita de nada.

Campos verdes

Sobre o campo verde,
ondas de prata.

Andava-se, andava-se...
Sobre o verde campo,
sempre outras águas.

Sobre o campo verde,
paciente barco.

Errava-se, errava-se...
Sobre o verde campo,
sempre outro espaço.

Sobre o campo verde,
todas as cartas.

Armava-se, armava-se...
Sobre o verde campo,
sempre o ás de espadas.

Sobre o campo verde,
qualquer palavra.

Olhava-se, olhava-se...
Ai! sobre o verde campo,
mais nada.

Para uma cigarra

Cigarra de ouro, fogo que arde,
queimando, na imensa tarde,
meu nome, sussurrante flor.

(Estudei amor.)

Cigarra de ouro, por que me chamas,
se, quando eu for,
bem sei que foges por entre as ramas?

(Estudei amor.)

Cigarra de ouro, eu nem levanto
meus olhos para teu canto.

(Estudei amor.)

Encomenda

Desejo uma fotografia
como esta – o senhor vê? – como esta:
em que para sempre me ria
com um vestido de eterna festa.

Como tenho a testa sombria,
derrame luz na minha testa.
Deixe esta ruga, que me empresta
um certo ar de sabedoria.

Não meta fundos de floresta
nem de arbitrária fantasia...
Não... Neste espaço que ainda resta,
ponha uma cadeira vazia.

Confissão

A Afonso Duarte

Na quermesse da miséria,
fiz tudo o que não devia:
se os outros se riam, ficava séria;
se ficavam sérios, me ria.

(Talvez o mundo nascesse certo;
mas depois ficou errado.
Nem longe nem perto
se encontra o culpado!)

De tanto querer ser boa,
misturei o céu com a terra,
e por uma coisa à toa
levei meus anjos à guerra.

Aos mudos de nascimento
fui perguntar minha sorte.
E dei minha vida, momento a momento,
por coisas da morte.

Pus caleidoscópios de estrelas
entre cegos de ambas as vistas.
Geometrias imprevistas,
quem se inclinou para vê-las?

(Talvez o mundo nascesse certo;
mas evadiu-se o culpado.
Deixo meu coração – aberto,
à porta do céu – fechado.)

Naufrágio antigo

A Margarete Kuhn

Inglesinha de olhos tênues,
corpo e vestido desfeitos
em águas solenes;

inglesinha do veleiro,
com tranças de metro e meio
embaraçando os peixes.

Medusas róseas nos dedos,
algas pela cabeça,
azuis e verdes.

Desceu muitos degraus de seda
e atravessou muitas paredes
de vidro fresco.

Embalada em seus cabelos,
navegava frios reinos
de personagens lentos:

por paisagens de anêmonas,
caudas negras,
nadadeiras trêmulas.

Mirava a lua seus dentes,
seus olhos – de oceano cheios,
seus lábios – hirtos de sede.

Muito tempo, muito tempo...
Medusas róseas nos dedos,
pelo peito, estrelas,
brancas e vermelhas.

Em praias de triste areia,
o vento, sem o veleiro,
chorava de pena.

Inglesinha de olhos tênues,
ao longe suspensa
em líquidas teias!

Vestidos sem consistência:
medusas róseas no ventre,
algas pelos joelhos,
azuis e verdes.

Landes ermas
vão sofrendo e morrendo
porque a perderam.

Pelas águas transparentes,
suspiros que foram vê-la
ficaram prisioneiros.

E as lágrimas que correram
extraviaram-se, na rede
da espuma crespa.

Inglesinha de olhos tênues
volteia, volteia
no mar, em silêncio.

Moluscos fosforescentes
cobiçam os arabescos
de suas orelhas.

Peixes de olhos densos
bebem suas veias
azuis e violetas.

Embalada em seus cabelos,
noutros mundos entra,
sempre mais imensos.

Por entre anêmonas,
nadadeiras trêmulas,
súbitos espelhos.

A cor dos planetas
pinta seu rosto de cera
e banha seus pensamentos.

(Porque ela ainda pensa:
algas pelo ventre,
azuis e verdes,
medusas pelos artelhos.

E ainda sente.
Sente e pensa e vai serena,
embalada em seus cabelos.)

Inglesinha de olhos tênues,
com tranças de metro e meio,
cor de lua nascente.

Branca ampulheta
foi vertendo, vertendo
séculos inteiros.

Desmanchou-lhe o seio,
desfolhou-lhe os dedos
e as madeixas,

medusas, estrelas,
róseas e vermelhas,
e algas verdes,

e a voz do vento
que na areia
sofrera.

E a existência
e a queixa

de quem teve
pena,
antigamente.

Explicação

A Alberto de Serpa

O pensamento é triste; o amor, insuficiente;
e eu quero sempre mais do que vem nos milagres.
Deixo que a terra me sustente:
guardo o resto para mais tarde.

Deus não fala comigo – e eu sei que me conhece.
A antigos ventos dei as lágrimas que tinha.
A estrela sobe, a estrela desce...
– espero a minha própria vinda.

(Navego pela memória
sem margens.

Alguém conta a minha história
e alguém mata os personagens.)

Canção do deserto

A Enrique Peña

Minha ternura nas pedras
vegeta.

Caravanas de formigas
tomam sempre outro caminho.
E a areia – cega.

Noite e dia, noite e dia
– como se estivesse à espera.

O sol consome as cigarras,
a lua pelas escadas
se quebra.

Minha ternura? – nas pedras.

Para o último céu perdido,
meu desejo sem auxílio
se eleva.

Mas os passos deste mundo
pisam tudo, tudo, tudo...
Morte certa.

Morte por todos os passos...
(Só com a sola dos sapatos
os homens tocam a terra!)

Minha ternura? – nas pedras.
Nas pedras.

Canção para remar

A Isabel do Prado

Doce peso
desta sonolência,
leve cadência
de amor e desprezo.

Lua mansa,
pedaço perdido
do anel partido
de alguma esperança.

Grande estrela
toda desfolhada
na água parada
para recebê-la.

Noite fria,
sem desejo humano.
Brisa no oceano
da melancolia.

Rosto sério
das ondas do mundo.
Boiam no fundo
ramos de mistério.

(Doce peso
desta sonolência...
Leve cadência
de amor e desprezo...)

Monólogo

Para onde vão minhas palavras,
se já não me escutas?
Para onde iriam, quando me escutavas?
E quando me escutaste? – Nunca.

Perdido, perdido. Ai, tudo foi perdido!
Eu e tu perdemos tudo.
Suplicávamos o infinito.
Só nos deram o mundo.

De um lado das águas, de um lado da morte,
tua sede brilhou nas águas escuras.
E hoje, que barca te socorre?
Que deus te abraça? Com que deus lutas?

Eu, nas sombras. Eu, pelas sombras,
com as minhas perguntas.
Para quê? Para quê? Rodas tontas,
em campos de areias longas
e de nuvens muitas.

Fantasma

Para onde vais, assim calado,
de olhos hirtos, quieto e deitado,
as mãos imóveis de cada lado?

Tua longa barca desliza
por não sei que onda, límpida e lisa,
sem leme, sem vela, sem brisa...

Passas por mim na órbita imensa
de uma secreta indiferença,
que qualquer pergunta dispensa.

Desapareces do lado oposto,
e, então, com súbito desgosto,
vejo que o teu rosto é o meu rosto,

e que vais levando contigo,
pelo silencioso perigo
dessa tua navegação,

minha voz na tua garganta,
e tanta cinza, tanta, tanta,
de mim, sobre o teu coração!

Eco

Alta noite, o pobre animal aparece no morro, em silêncio.
O capim se inclina entre os errantes vaga-lumes;
pequenas asas de perfume saem de coisas invisíveis:
no chão, branco de lua, ele prega e desprega as patas, com sombra.

Prega, desprega e para.
Deve ser água, o que brilha como estrela, na terra plácida.
Serão joias perdidas, que a lua apanha em sua mão?
Ah!... não é isso...

E alta noite, pelo morro em silêncio, desce o pobre animal sozinho.

Em cima, vai ficando o céu. Tão grande. Claro. Liso.
Ao longe, desponta o mar, depois das areias espessas.
As casas fechadas esfriam, esfriam as folhas das árvores.
As pedras estão como muitos mortos: ao lado um do outro, mas
[estranhos.
E ele para, e vira a cabeça. E mira com seus olhos de homem.
Não é nada disso, porém...

Alta noite, diante do oceano, senta-se o animal, em silêncio.
Balançam-se as ondas negras. As cores do farol se alternam.
Não existe horizonte. A água se acaba em tênue espuma.

Não é isso! Não é isso!
Não é a água perdida, a lua andante, a areia exposta...
E o animal se levanta e ergue a cabeça, e late... late...

E o eco responde.

Sua orelha estremece. Seu coração se derrama na noite.
Ah! para aquele lado apressa o passo, em busca do eco.

Despedida

Por mim, e por vós, e por mais aquilo
que está onde as outras coisas nunca estão,
deixo o mar bravo e o céu tranquilo:
quero solidão.

Meu caminho é sem marcos nem paisagens.
E como o conheces? – me perguntarão.
– Por não ter palavras, por não ter imagens.
Nenhum inimigo e nenhum irmão.

Que procuras? – Tudo. Que desejas? – Nada.
Viajo sozinha com o meu coração.
Não ando perdida, mas desencontrada.
Levo o meu rumo na minha mão.

A memória voou da minha fronte.
Voou meu amor, minha imaginação...
Talvez eu morra antes do horizonte.
Memória, amor e o resto onde estarão?

Deixo aqui meu corpo, entre o sol e a terra.
(Beijo-te, corpo meu, todo desilusão!
Estandarte triste de uma estranha guerra...)

Quero solidão.

Amém

Hoje acabou-se-me a palavra,
e nenhuma lágrima vem.
Ai, se a vida se me acabara
também!

A profusão do mundo, imensa,
tem tudo, tudo – e nada tem.
Onde repousar a cabeça?
No além?

Fala-se com os homens, com os santos,
consigo, com Deus... E ninguém
entende o que se está contando
e a quem...

Mas terra e sol, luas e estrelas
giram de tal maneira bem
que a alma desanima de queixas.
Amém.

A AMIGA DEIXADA

Antiga
cantiga
da amiga
deixada.

Musgo da piscina,
de uma água tão fina,
sobre a qual se inclina
a lua exilada.

Antiga
cantiga
da amiga
chamada.

Chegara tão perto!
Mas tinha, decerto,
seu rosto encoberto...
Cantava – mais nada.

Antiga
cantiga
da amiga
chegada.

Pérola caída
na praia da vida:
primeiro, perdida
e depois – quebrada.

Antiga
cantiga
da amiga
calada.

Partiu como vinha,
leve, alta, sozinha,
– giro de andorinha
na mão da alvorada.

Antiga
cantiga
da amiga
deixada.

Mar absoluto

Noturno

Brumoso navio
o que me carrega
por um mar abstrato.
Que insigne alvedrio
prende à ideia cega
teu vago retrato?

A distante viagem
adormece a espuma
breve da palavra:
— máquina de aragem
que percorre a bruma
e o deserto lavra.

Ceras de mistério
selam cada poro
da vida entregada.
Em teu mar, no império
de exílio onde moro,
tudo é igual a nada.

Capitão que conte
quem és, porque existes,
deve ter havido.
Eu? — bebo o horizonte...
Estrelas mais tristes.
Coração perdido.

Sonolentas velas
hoje dobraremos:
— e a nossa cabeça.
Talvez dentro delas
ou nos duros remos
teu NOME apareça.

Sugestão

Sede assim – qualquer coisa
serena, isenta, fiel.

Flor que se cumpre,
sem pergunta.

Onda que se esforça,
por exercício desinteressado.

Lua que envolve igualmente
os noivos abraçados
e os soldados já frios.

Também como este ar da noite:
sussurrante de silêncios,
cheio de nascimentos e pétalas.

Igual à pedra detida,
sustentando seu demorado destino.
E à nuvem, leve e bela,
vivendo de nunca chegar a ser.

À cigarra, queimando-se em música,
ao camelo que mastiga sua longa solidão,
ao pássaro que procura o fim do mundo,
ao boi que vai com inocência para a morte.

Sede assim qualquer coisa
serena, isenta, fiel.

Não como o resto dos homens.

IRREALIDADE

Como num sonho
aqui me vedes:
água escorrendo
por estas redes
de noite e dia.
A minha fala
parece mesmo
vir do meu lábio
e anda na sala
suspensa em asas
de alegoria.

Sou tão visível
que não se estranha
o meu sorriso.
E com tamanha
clareza pensa
que não preciso
dizer que vive
minha presença.

E estou de longe,
compadecida.
Minha vigília
é anfiteatro
que toda a vida
cerca, de frente.
Não há passado
nem há futuro.
Tudo que abarco
se faz presente.

Se me perguntam
pessoas, datas,
pequenas coisas
gratas e ingratas,
cifras e marcos
de quando e de onde,
— a minha fala
tão bem responde
que todos creem
que estou na sala.

E ao meu sorriso
vós me sorris...
Correspondência
do paraíso
da nossa ausência
desconhecida
e tão feliz!

1º MOTIVO DA ROSA

Vejo-te em seda e nácar,
e tão de orvalho trêmula,
que penso ver, efêmera,
toda a Beleza em lágrimas
por ser bela e ser frágil.

Meus olhos te ofereço:
espelho para a face
que terás, no meu verso,
quando, depois que passes,
jamais ninguém te esqueça.

Então, de seda e nácar,
toda de orvalho trêmula,
serás eterna. E efêmero
o rosto meu, nas lágrimas
do teu orvalho... E frágil.

Desejo de regresso

Deixai-me nascer de novo,
nunca mais em terra estranha,
mas no meio do meu povo,
com meu céu, minha montanha,
meu mar e minha família.

E que na minha memória
fique esta vida bem viva,
para contar minha história
de mendiga e de cativa
e meus suspiros de exílio.

Porque há doçura e beleza
na amargura atravessada,
e eu quero a memória acesa
depois da angústia apagada.
Com que afeição me remiro!

Marinheiro de regresso
com seu barco posto a fundo,
às vezes quase me esqueço
que foi verdade este mundo.
(Ou talvez fosse mentira...)

2º MOTIVO DA ROSA

A Mário de Andrade

Por mais que te celebre, não me escutas,
embora em forma e nácar te assemelhes
à concha soante, à musical orelha
que grava o mar nas íntimas volutas.

Deponho-te em cristal, defronte a espelhos,
sem eco de cisternas ou de grutas...
Ausências e cegueiras absolutas
ofereces às vespas e às abelhas,

e a quem te adora, ó surda e silenciosa,
e cega e bela e interminável rosa,
que em tempo e aroma e verso te transmutas!

Sem terra nem estrelas brilhas, presa
a meu sonho, insensível à beleza
que és e não sabes, porque não me escutas...

REALIZAÇÃO DA VIDA

Não me peças que cante,
pois ando longe,
pois ando agora
muito esquecida.

Vou mirando no bosque
o arroio claro
e a provisória
flor escondida.

E procuro minha alma
e o corpo, mesmo,
e a voz outrora
em mim sentida.

E me vejo somente
pequena sombra
sem tempo e nome,
nisto perdida,

– nisto que se buscara
pelas estrelas,
com febre e lágrimas,
e que era a vida.

LEVEZA

Leve é o pássaro:
e a sua sombra voante,
mais leve.

E a cascata aérea
de sua garganta,
mais leve.

E o que lembra, ouvindo-se
deslizar seu canto,
mais leve.

E o desejo rápido
desse antigo instante,
mais leve.

E a fuga invisível
do amargo passante,
mais leve.

Desenho

Fui morena e magrinha como qualquer polinésia,
e comia mamão, e mirava a flor da goiaba.
E as lagartixas me espiavam, entre os tijolos e as trepadeiras,
e as teias de aranha nas minhas árvores se entrelaçavam.

Isso era num lugar de sol e nuvens brancas,
onde as rolas, à tarde, soluçavam mui saudosas...
O eco, burlão, de pedra em pedra ia saltando,
entre vastas mangueiras que choviam ruivas horas.

Os pavões caminhavam tão naturais por meu caminho,
e os pombos tão felizes se alimentavam pelas escadas
que era desnecessário crescer, pensar, escrever poemas,
pois a vida completa e bela e terna ali já estava.

Como a chuva caía das grossas nuvens, perfumosa!
E o papagaio como ficava sonolento!
O relógio era festa de ouro; e os gatos enigmáticos
fechavam os olhos, quando queriam caçar o tempo.

Vinham morcegos, à noite, picar os sapotis maduros,
e os grandes cães ladravam como nas noites do Império.
Mariposas, jasmins, tinhorões, vaga-lumes
moravam nos jardins sussurrantes e eternos.

E minha avó cantava e cosia. Cantava
canções de mar e de arvoredo, em língua antiga.
E eu sempre acreditei que havia música em seus dedos
e palavras de amor em minha roupa escritas.

Minha vida começa num vergel colorido,
por onde as noites eram só de luar e estrelas.
Levai-me aonde quiserdes! – aprendi com as primaveras
a deixar-me cortar e a voltar sempre inteira.

4º MOTIVO DA ROSA

Não te aflijas com a pétala que voa:
também é ser, deixar de ser assim.

Rosas verás, só de cinza franzida,
mortas intactas pelo teu jardim.

Eu deixo aroma até nos meus espinhos,
ao longe, o vento vai falando em mim.

E por perder-me é que me vão lembrando,
por desfolhar-me é que não tenho fim.

Transeunte

Venho de caminhar por estas ruas.
Tristeza e mágoa. Mágoa e tristeza.
Tenho vergonha dos meus sonhos de beleza.

Caminham sombras duas a duas,
felizes só de serem infelizes,
e sem dizerem, boca minha, o que tu dizes...

De não saberem, simples e nuas,
coisas da alma e do pensamento,
e que tudo foi pó e que tudo é do vento...

Felizes com as misérias suas,
como eu não poderia ser com a glória,
porque tenho intuições, porque tenho memória...

Porque abraçada nos braços meus,
porque, obediente à minha solidão,
vivo construindo apenas Deus...

5º MOTIVO DA ROSA

Antes do teu olhar, não era,
nem será depois, – primavera.
Pois vivemos do que perdura,

não do que fomos. Desse acaso
do que foi visto e amado: – o prazo
do Criador na criatura...

Não sou eu, mas sim o perfume
que em ti me conserva e resume
o resto, que as horas consomem.

Mas não chores, que no meu dia,
há mais sonho e sabedoria
que nos vagos séculos do homem.

NOITE

Tão perto!
Tão longe!
Por onde
é o deserto?
Às vezes,
responde,
de perto,
de longe.
Mas depois
se esconde.
Somos um
ou dois?
Às vezes,
nenhum.
E em seguida,
tantos!
A vida
transborda
por todos
os cantos.
Acorda
com modos
de puro
esplendor.
Procuro
meu rumo:
horizonte
escuro:
um muro

em redor.
Em treva
me sumo.
Para onde
me leva?

Pergunto a Deus se estou viva,
se estou sonhando ou acordada.
Lábio de Deus! – Sensitiva
tocada.

Dia de chuva

As espumas desmanchadas
sobem-me pela janela,
correndo em jogos selvagens
de corça e estrela.

Pastam nuvens no ar cinzento:
bois aéreos, calmos, tristes,
que lavram esquecimento.

Velhos telhados limosos
cobrem palavras, armários,
enfermidades, heroísmos...

Quem passa é como um funâmbulo,
equilibrado na lama,
metendo os pés por abismos...

Dia tão sem claridade!
só se conhece que existes
pelo pulso dos relógios...

Se um morto agora chegasse
àquela porta, e batesse,
com um guarda-chuva escorrendo,
e, com limo pela face,
ali ficasse batendo,
— ali ficasse batendo
àquela porta esquecida
sua mão de eternidade...

Tão frenético anda o mar
que não se ouviria o morto
bater à porta e chamar...

E o pobre ali ficaria
como debaixo da terra,
exposto à surdez do dia.

Pastam nuvens no ar cinzento.
Bois aéreos que trabalham
no arado do esquecimento.

Voz do profeta exilado

A Haydée de Meunier

Cansei-me de anunciar teu nome
às multidões desatinadas;
e, quando desdobrei teu rosto,
responderam-me com pedradas.

Deixei essas praias ferozes
de areias e alucinação.
Fui no meu barco de perigo,
de silêncio e de solidão.

Solucei nas rochas desertas,
equilibrei-me na onda brava.
Curvei de espanto a minha fronte:
e com as águas do mar chorava.

Chorei pelas gentes perdidas
de loucura e orgulho. Depois,
por minhas visões, por meus gestos.
E, finalmente, por nós dois.

Em que outros países, de que estranhos
mundos, alguém espera pela
minha voz, salva de martírios,
condutora da tua Estrela?

Diante dos horizontes próximos,
aflige-se o meu coração.
Não sei se é o tempo da chegada,
ou sempre o da navegação.

Elegia
1933-1937

> À memória de
> Jacintha Garcia Benevides,
> minha avó

> *... le sang de nos ancêtres qui forme avec le nôtre cette chose san
> équivalence qui d'ailleurs ne se répétera pas...*
>
> R. M. Rilke, Lettres à un jeune poète

1

Minha primeira lágrima caiu dentro dos teus olhos.
Tive medo de a enxugar: para não saberes que havia caído.

No dia seguinte, estavas imóvel, na tua forma definitiva,
modelada pela noite, pelas estrelas, pelas minhas mãos.

Exalava-se de ti o mesmo frio do orvalho; a mesma claridade
[da lua.

Vi aquele dia levantar-se inutilmente para as tuas pálpebras,
e a voz dos pássaros e a das águas correr,
– sem que a recolhessem teus ouvidos inertes.

Onde ficou teu outro corpo? Na parede? Nos móveis? No teto?

Inclinei-me sobre o teu rosto, absoluta, como um espelho.
E tristemente te procurava.

Mas também isso foi inútil, como tudo mais.

2

Neste mês, as cigarras cantam
e os trovões caminham por cima da terra,
agarrados ao sol.
Neste mês, ao cair da tarde, a chuva corre pelas montanhas,
e depois a noite é mais clara,
e o canto dos grilos faz palpitar o cheiro molhado do chão.

Mas tudo é inútil,
porque os teus ouvidos estão secos como conchas vazias,
e a tua narina imóvel
não recebe mais notícia
do mundo que circula no vento.

Neste mês, sobre as frutas maduras cai o beijo áspero das vespas...
— e o arrulho dos pássaros encrespa a sombra,
como água que borbulha.

Neste mês, abrem-se cravos de perfume profundo e obscuro;
a areia queima, branca e seca,
junto ao mar lampejante:
de cada fronte desce uma lágrima de calor.

Mas tudo é inútil,
porque estás encostada à terra fresca,
e os teus olhos não buscam mais lugares
nesta paisagem luminosa,
e as tuas mãos não se arredondam já
para a colheita nem para a carícia.

Neste mês, começa o ano, de novo,
e eu queria abraçar-te.

Mas tudo é inútil:
eu e tu sabemos que é inútil que o ano comece.

3

Minha tristeza é não poder mostrar-te as nuvens brancas,
e as flores novas, como aroma em brasa,
com suas coroas crepitantes de abelhas.

Teus olhos sorririam,
agradecendo a Deus o céu e a terra:
eu sentiria teu coração feliz
como um campo onde choveu.

Minha tristeza é não poder acompanhar contigo
o desenho das pombas voantes,
o destino dos trens pelas montanhas,
e o brilho tênue de cada estrela
brotando à margem do crepúsculo.

Tomarias o luar nas tuas mãos,
fortes e simples como as pedras,
e dirias apenas: "Como vem tão clarinho!"

E nesse luar das tuas mãos se banharia a minha vida,
sem perturbar sua claridade,
mas também sem diminuir minha tristeza.

4

Escuto a chuva batendo nas folhas, pingo a pingo.
Mas há um caminho de sol entre as nuvens escuras.
E as cigarras sobre as resinas continuam cantando.

Tu percorrerias o céu com teus olhos nevoentos,
e calcularias o sol de amanhã,
e a sorte oculta de cada planta.

E amanhã descerias toda coberta de branco,
brilharias à luz como o sal e a cânfora,
mirarias os cravos, contentes com a chuva noturna,
tomarias na mão os frutos do limoeiro, tão verdes,
e entre o veludo da vinha, verias armar-se o cristal dos bagos.

E olharias o sol subindo ao céu com asas de fogo.
Tuas mãos e a terra secariam bruscamente.
Em teu rosto, como no chão,
haveria flores vermelhas abertas.

Dentro do teu coração, porém, estavam as fontes frescas,
sussurrando.
E os canteiros viam-te passar
como a nuvem mais branca do dia.

5

Um jardineiro desconhecido se ocupará da simetria
desse pequeno mundo em que estás.

Suas mãos vivas caminharão acima das tuas, em descanso,
das tuas que calculavam primaveras e outonos,
fechadas em sementes e escondidos na flor!

Tua voz sem corpo estará comandando,
entre terra e água,
o aconchego das raízes tenras,
a ordenação das pétalas nascentes.

À margem desta pedra que te cerca,
o rosto das flores inclinará sua narrativa:
história dos grandes luares,
crescimento e morte dos campos,
giros e músicas de pássaros,
arabescos de libélulas roxas e verdes.
Conversareis longamente,
em vossa linguagem inviolável.

Os anjos de mármore ficarão para sempre ouvindo:
que eles também falam em silêncio.

Mas a mim – se te chamar, se chorar – não me ouvirás,
por mais perto que venha, não sou mais que uma sombra
caminhando em redor de uma fortaleza.

Queria deixar-te aqui as imagens do mundo que amaste:
o mar com seus peixes e suas barcas;
os pomares com cestos derramados de frutos;
os jardins de malva e trevo, com seus perfumes brancos e vermelhos.

E aquela estrela maior, que a noite levava na mão direita.
E o sorriso de uma alegria que eu não tive,
mas te dava.

6

Tudo cabe aqui dentro:
vejo tua casa, tuas quintas de fruta,
as mulas deixando descarregarem seirões repletos,
e os cães de nomes antigos
ladrando majestosamente
para a noite aproximada.

Range a atafona sobre uma cantiga arcaica:
e os fusos ainda vão enrolando o fio
para a camisa, para a toalha, para o lençol.

Nesse fio vai o campo onde o vento saltou.
Vai o campo onde a noite deixou seu sono orvalhado.
Vai o sol com suas vestimentas de ouro
cavalgando esse imenso gavião do céu.

Tudo cabe aqui dentro:
teu corpo era um espelho pensante do universo.
E olhavas para essa imagem, clarividente e comovida.

Foi do barro das flores, o teu rosto terreno,
e uns liquens de noite sem luzes
se enrolaram em tua cabeça de deusa rústica.

Mas puseram-te numa praia de onde os barcos saíam
para perderem-se.
Então, teus braços se abriram,
querendo levar-te mais longe:
porque eras a que salvava.
E ficaste com um pouco de asas.

Teus olhos, porém, mediram a flutuação do caminho.
Por isso, tua testa se vincou de alto a baixo,
e tuas pálpebras meigas
se cobriram de cinza.

7

O crepúsculo é este sossego do céu
com suas nuvens paralelas

e uma última cor penetrando nas árvores
até os pássaros.

É esta curva dos pombos, rente aos telhados,
este cantar de galos e rolas, muito longe;
e, mais longe, o abrolhar de estrelas brancas,
ainda sem luz.

Mas não era só isto, o crepúsculo:
faltam os teus dois braços numa janela, sobre flores,
e em tuas mãos o teu rosto,
aprendendo com as nuvens a sorte das transformações.

Faltam teus olhos com ilhas, mares, viagens, povos,
tua boca, onde a passagem da vida
tinha deixado uma doçura triste,
que dispensava palavras.

Ah, falta o silêncio que estava entre nós,
e olhava a tarde, também.

Nele vivia o teu amor por mim,
obrigatório e secreto.
Igual à face da Natureza:
evidente, e sem definição.

Tudo em ti era uma ausência que se demorava:
uma despedida pronta a cumprir-se.

Sentindo-o, cobria minhas lágrimas com um riso doido.
Agora, tenho medo que não visses
o que havia por detrás dele.

Aqui está meu rosto verdadeiro,
defronte do crepúsculo que não alcançaste.
Abre o túmulo, e olha-me:
dize-me qual de nós morreu mais.

8

Hoje! Hoje de sol e bruma,
com este silencioso calor sobre as pedras e as folhas!

Hoje! Sem cigarras nem pássaros.
Gravemente. Altamente.
Com flores abafadas pelo caminho,
entre essas máscaras de bronze e mármore
no eterno rosto da terra.

Hoje.

Quanto tempo passou entre a nossa mútua espera!
Tu, paciente e inutilizada,
contando as horas que te desfaziam.
Meus olhos repetindo essas tuas horas heroicas,
no brotar e morrer desta última primavera
que te enfeitou.

Oh, a montanha de terra que agora vão tirando do teu peito!

Alegra-te, que aqui estou,
fiel, neste encontro,
como se do modo antigo vivesses
ou pudesses, com a minha chegada, reviver.

Alegra-te, que já se desprendem as tábuas que te fecharam,
como se desprendeu o corpo
em que aprendeste longamente a sofrer.

E, como o áspero ruído da pá cessou neste instante,
ouve o amplo e difuso rumor da cidade em que continuo,
— tu, que resides no tempo, no tempo unânime!

Ouve-o e relembra
não as estampas humanas: mas as cores do céu e da terra,
o calor do sol,
a aceitação das nuvens,
o grato deslizar das águas dóceis.
Tudo o que amamos juntas.
Tudo em que me dispersarei como te dispersaste.
E mais esse perfume de eternidade,
intocável e secreto,
que o giro do universo não perturba.

Apenas, não podemos correr, agora,
uma para a outra.

Não sofras, por não te poderes levantar
do abismo em que te reclinas:
não sofras, também,
se um pouco de choro se debruça nos meus olhos,
procurando-te.

Não te importes que escute cair,
no zinco desta humilde caixa,
teu crânio, tuas vértebras,
teus ossos todos, um por um...

Pés que caminhavam comigo,
mãos que me iam levando,
peito do antigo sono,
cabeça do olhar e do sorriso...

Não te importes. Não te importes...

Na verdade, tu vens como eu te queria inventar:
e de braço dado desceremos por entre pedras e flores.
Posso levar-te ao colo, também,
pois na verdade estás mais leve que uma criança.

— Tanta terra deixaste porém sobre o meu peito!
irás dizendo, sem queixa,
apenas como recordação.

E eu, como recordação, te direi:
— Pesaria tanto quanto o coração que tiveste,
o coração que herdei?

Ah, mas que palavras podem os vivos dizer aos mortos?

* * *

E hoje era o teu dia de festa!
Meu presente é buscar-te.
Não para vires comigo:
para te encontrares com os que, antes de mim,
vieste buscar, outrora.
Com menos palavras, apenas.
Com o mesmo número de lágrimas.
Foi lição tua chorar pouco,
para sofrer mais.

Aprendi-a demasiadamente.

Aqui estamos, hoje.
Com este dia grave, de sol velado.
De calor silencioso.
Todas as estátuas ardendo.
As folhas, sem um tremor.

Não tens fala, nem movimento nem corpo.
E eu te reconheço.

Ah, mas a mim, a mim,
quem sabe se me poderás reconhecer!

Retrato natural

AR LIVRE

A menina translúcida passa.
Vê-se a luz do sol dentro dos seus dedos.
Brilha em sua narina o coral do dia.

Leva o arco-íris em cada fio do cabelo.
Em sua pele, madrepérolas hesitantes
pintam leves alvoradas de neblina.

Evaporam-se-lhe os vestidos, na paisagem.
É apenas o vento que vai levando seu corpo pelas alamedas.
A cada passo, uma flor, a cada movimento, um pássaro.

E quando para na ponte, as águas todas vão correndo,
em verdes lágrimas para dentro dos seus olhos.

Apresentação

Aqui está minha vida – esta areia tão clara
com desenhos de andar dedicados ao vento.

Aqui está minha voz – esta concha vazia,
sombra de som curtindo o seu próprio lamento.

Aqui está minha dor – este coral quebrado,
sobrevivendo ao seu patético momento.

Aqui está minha herança – este mar solitário,
que de um lado era amor e, do outro, esquecimento.

Cantarão os galos

Cantarão os galos, quando morrermos,
e uma brisa leve, de mãos delicadas,
tocará nas franjas, nas sedas
mortuárias.

E o sono da noite irá transpirando
sobre as claras vidraças.

E os grilos, ao longe, serrarão silêncios,
talos de cristal, frios, longos ermos,
e o enorme aroma das árvores.

Ah, que doce lua verá nossa calma
face ainda mais calma que o seu grande espelho
de prata!

Que frescura espessa em nossos cabelos,
livres como os campos pela madrugada!

Na névoa da aurora,
a última estrela
subirá pálida.

Que grande sossego, sem falas humanas,
sem o lábio dos rostos de lobo,
sem ódio, sem amor, sem nada!

Como escuros profetas perdidos,
conversarão apenas os cães, pelas várzeas.
Fortes perguntas. Vastas pausas.

Nós estaremos na morte
com aquele suave contorno
de uma concha dentro d'água.

Elegia a uma pequena borboleta

Como chegavas do casulo,
— inacabada seda viva! —
tuas antenas — fios soltos
da trama de que eras tecida,
e teus olhos, dois grãos da noite
de onde o teu mistério surgia,

como caíste sobre o mundo
inábil, na manhã tão clara,
sem mãe, sem guia, sem conselho,
e rolavas por uma escada
como papel, penugem, poeira,
com mais sonho e silêncio que asas,

minha mão tosca te agarrou
com uma dura, inocente culpa,
e é cinza de lua teu corpo,
meus dedos, sua sepultura.
Já desfeita e ainda palpitante,
expiras sem noção nenhuma.

Ó bordado do véu do dia,
transparente anêmona aérea!
não leves meu rosto contigo:
leva o pranto que te celebra,
no olho precário em que te acabas,
meu remorso ajoelhado leva!

Choro a tua forma violada,
miraculosa, alva, divina,
criatura de pólen, de aragem,
diáfana pétala da vida!
Choro ter pesado em teu corpo
que no estame não pesaria.

Choro esta humana insuficiência:
– a confusão dos nossos olhos,
– o selvagem peso do gesto,
– cegueira – ignorância – remotos
instintos súbitos – violências
que o sonho e a graça prostram mortos.

Pudesse a etéreos paraísos
ascender teu leve fantasma,
e meu coração penitente
ser a rosa desabrochada
para servir-te mel e aroma,
por toda a eternidade escrava!

E as lágrimas que por ti choro
fossem o orvalho desses campos,
– os espelhos que refletissem
– voo e silêncio – os teus encantos,
com a ternura humilde e o remorso
dos meus desacertos humanos!

Vigília

Como o companheiro é morto,
todos juntos morreremos
um pouco.

O valor de nossas lágrimas
sobre quem perdeu a vida,
não é nada.

Amá-lo, nesta tristeza,
é suspiro numa selva
imensa.

Por fidelidade reta
ao companheiro perdido,
que nos resta?

Deixar-nos morrer um pouco
por aquele que hoje vemos
todo morto.

Balada das dez bailarinas do cassino

Dez bailarinas deslizam
por um chão de espelho.
Têm corpos egípcios com placas douradas,
pálpebras azuis e dedos vermelhos.
Levantam véus brancos, de ingênuos aromas,
e dobram amarelos joelhos.

Andam as dez bailarinas
sem voz, em redor das mesas.
Há mãos sobre facas, dentes sobre flores
e os charutos toldam as luzes acesas.
Entre a música e a dança escorre
uma sedosa escada de vileza.

As dez bailarinas avançam
como gafanhotos perdidos.
Avançam, recuam, na sala compacta,
empurrando olhares e arranhando o ruído.
Tão nuas se sentem que já vão cobertas
de imaginários, chorosos vestidos.

As dez bailarinas escondem
nos cílios verdes as pupilas.
Em seus quadris fosforescentes,
passa uma faixa de morte tranquila.
Como quem leva para a terra um filho morto,
levam seu próprio corpo, que baila e cintila.

Os homens gordos olham com um tédio enorme
as dez bailarinas tão frias.
Pobres serpentes sem luxúria,
que são crianças, durante o dia.
Dez anjos anêmicos, de axilas profundas,
embalsamados de melancolia.

Vão perpassando como dez múmias,
as bailarinas fatigadas.
Ramo de nardos inclinando flores
azuis, brancas, verdes, douradas.
Dez mães chorariam, se vissem
as bailarinas de mãos dadas.

SERENATA

Dize-me tu, montanha dura,
onde nenhum rebanho pasce,
de que lado na terra escura
brilha o nácar de sua face.

Dize-me tu, palmeira fina,
onde nenhum pássaro canta,
em que caverna submarina
seu silêncio em corais descansa.

Dize-me tu, ó céu deserto,
dize-me tu se é muito tarde,
se a vida é longe e a dor é perto
e tudo é feito de acabar-se!

Emigrantes

Esperemos o embarque, irmão.

Chegamos sem esperança,
só com relíquias de séculos
na palma da mão.

Pela terra endurecida,
não há campo que aproveite.
Mesmo os rios vão morrendo
pela solidão.

Não sofras por teres vindo.
Alguém nos mandou de longe
para ver como ficava
um rosto humano banhado
de desilusão.

Olhemos esses desertos
onde é impossível deixar-se
mesmo o coração.

Ah, guardemos nossos olhos
duráveis como as estrelas
e seguramente secos
como as pedras do chão:

Iremos a outros lugares,
onde talvez haja tempo,
misericórdia, viventes,
amor, ocasião.

Esperemos, esperemos.
Relógios além das nuvens
moem as horas e as lágrimas
para a salvação.

PÁSSARO

Aquilo que ontem cantava
já não canta.
Morreu de uma flor na boca:
não do espinho na garganta.

Ele amava a água sem sede,
e, em verdade,
tendo asas, fitava o tempo,
livre de necessidade.

Não foi desejo ou imprudência:
não foi nada.
E o dia toca em silêncio
a desventura causada.

Se acaso isso é desventura:
ir-se a vida
sobre uma rosa tão bela,
por uma tênue ferida.

Canção

Eras um rosto
na noite larga
de altas insônias
iluminada.

Serás um dia
vago retrato
de quem se diga:
"o antepassado".

Eras um poema
cujas palavras
cresciam dentre
mistério e lágrimas.

Serás silêncio,
tempo sem rastro,
de esquecimentos
atravessado.

Disso é que sofre
a amargurada
flor da memória
que ao vento fala.

Canção Póstuma

Fiz uma canção para dar-te;
porém tu já estavas morrendo.
A Morte é um poderoso vento.
E é um suspiro tão tímido, a Arte...

É um suspiro tímido e breve
como o da respiração diária.
Choro de pomba. E a Morte é uma águia
cujo grito ninguém descreve.

Vim cantar-te a canção do mundo,
mas estás de ouvidos fechados
para os meus lábios inexatos,
– atento a um canto mais profundo.

E estou como alguém que chegasse
ao centro do mar, comparando
aquele universo de pranto
com a lágrima da sua face.

E agora fecho grandes portas
sobre a canção que chegou tarde.
E sofro sem saber de que Arte
se ocupam as pessoas mortas.

Por isso é tão desesperada
a pequena, humana cantiga.
Talvez dure mais do que a vida.
Mas à Morte não diz mais nada.

Fui mirar-me

Fui mirar-me num espelho
e era meia-noite em ponto.
Caiu-me o cristal das mãos
como as lembranças no sono.
Partiu-se meu rosto em chispas
como as estrelas num poço.
Partiu-se meu rosto em cismas,
– que era meia-noite em ponto.

Dizei-me se é morte certa,
que me deito e me componho,
fecho os olhos, cruzo os dedos
sobre o coração tão louco.
E digo às nuvens dos anjos:
"Ide-vos pelo céu todo,
avisai a quem me amava
que aqui docemente morro.

"Pedi que fiquem amando
meu coração silencioso
e a música dos meus dedos
tecida com tanto sonho.

De volta, achareis minha alma
tranquila de estar sem corpo.
Rebanhos de amor eterno
passarão pelo meu rosto."

Improviso do Amor-Perfeito

Naquela nuvem, naquela,
mando-te meu pensamento:
que Deus se ocupe do vento.

Os sonhos foram sonhados,
e o padecimento aceito.
E onde estás, Amor-Perfeito?

Imensos jardins da insônia,
de um olhar de despedida
deram flor por toda a vida.

Ai de mim que sobrevivo
sem o coração no peito.
E onde estás, Amor-Perfeito?

Longe, longe, atrás do oceano
que nos meus olhos se alteia,
entre pálpebras de areia...

Longe, longe... Deus te guarde
sobre o seu lado direito,
como eu te guardava do outro,
noite e dia, Amor-Perfeito.

Canção

Não te fies do tempo nem da eternidade,
que as nuvens me puxam pelos vestidos,
que os ventos me arrastam contra o meu desejo!
Apressa-te, amor, que amanhã eu morro,
que amanhã morro e não te vejo!

Não demores tão longe, em lugar tão secreto,
nácar de silêncio que o mar comprime,
ó lábio, limite do instante absoluto!
Apressa-te, amor, que amanhã eu morro,
que amanhã morro e não te escuto!

Aparece-me agora, que ainda reconheço
a anêmona aberta na tua face
e em redor dos muros o vento inimigo...
Apressa-te, amor, que amanhã eu morro,
que amanhã morro e não te digo...

Transformação do dançarino

Nasce da sombra o dançarino,
de um ovo de seda e mistério.
E seu perfil é transparente
e sua carne é a de um inseto.

Eu o amo como às borboletas,
à asa das libélulas, – e erro
no seu mundo sem solo, reino
que se vai tornando sidéreo.

Suas tênues mãos nada tocam,
e olha entre verdes águas, cego.
Cada posição de seu corpo
é um símbolo instantâneo e hermético.

Toma nos lábios o silêncio
e é um peixe bebendo o mar, quieto.
Gira e, súbito se divide,
como espelho que cai de um prego.

Canção do Amor-Perfeito

O tempo seca a beleza,
seca o amor, seca as palavras.
Deixa tudo solto, leve,
desunido para sempre
como as areias nas águas.

O tempo seca a saudade,
seca as lembranças e as lágrimas.
Deixa algum retrato, apenas,
vagando seco e vazio
como estas conchas das praias.

O tempo seca o desejo
e suas velhas batalhas.
Seca o frágil arabesco,
vestígio do musgo humano,
na densa turfa mortuária.

Esperarei pelo tempo
com suas conquistas áridas.
Esperarei que te seque,
não na terra, Amor-Perfeito,
num tempo depois das almas.

O AFOGADO

Pelo mar azul,
pela água tão clara,
caminhava o morto
esta madrugada.

Subia nas vagas,
bordado de espuma,
seu corpo sem roupa,
sem força nenhuma.

O sol cor-de-rosa,
nascido nas águas,
via o navegante
procurar a praia.

Sem voz e sem olhos,
chegava de longe.
Chegava – e ficara
além do horizonte.

Por dias e noites
viera atravessando
caminhos salgados
como o suor e o pranto.

Dançarino estranho
de passos macabros,
com o corpo despido
e grossos sapatos.

Dançando e dançando,
por noites e dias,
chegou dentro da alva
às areias frias.

O mar e a neblina
que um morto navega
são muito mais fáceis
que, aos vivos, a terra.

Vencera a inconstante
planície intranquila
numa silenciosa,
cega acrobacia.

E então se deteve
seu corpo dobrado
por aquele imenso,
póstumo cansaço.

Era como os peixes
finalmente quietos:
o peito, gelado
e os olhos, abertos.

Um fio de sangue
corria em seu rosto
irreconhecível
de secreto morto.

Miravam com pena
sua dúbia face.
Quem era? Quem fora?
Nas ondas gastara-se.

Nu como nascera
ali se caía.
Só tinha os sapatos:
lembrança da vida.

Se eu fosse apenas...

Se eu fosse apenas uma rosa,
com que prazer me desfolhava,
já que a vida é tão dolorosa
e não te sei dizer mais nada!

Se eu fosse apenas água ou vento,
com que prazer me desfaria,
como em teu próprio pensamento
vais desfazendo a minha vida!

Perdoa-me causar-te a mágoa
desta humana, amarga demora!
– de ser menos breve do que a água,
mais durável que o vento e a rosa...

FRAGILIDADE

Teu nome nas águas
tão fundas, tão grandes,

perde-se na espuma,
castelo de instantes.

No aço azul da noite
teu firme retrato

acorda entre nuvens
já desbaratado.

A sorte da pedra
é tornar-se areia:

Mas quem não soluça
pensando em teu rosto

reduzido a poeira...

Desenho leve

Via-se morrer o amor
de braços abertos.

Uma espuma azul andava
nas areias desertas.

Nos galhos frescos das árvores,
recentemente cortadas,
meninas todas de branco
se balançavam.
O eco partia o baralho
de suas risadas.

Via-se morrer o amor
de mãos estendidas.

Uma lua sem memória
pelas águas transparentes
arrastava seus vestidos.

Via-se morrer o amor
de solidões cercado.

Via-se e tinha-se pena
sem se poder fazer nada.

E era uma tarde de lua,
com vento pelas estrelas
esquecidas.

E ao longe riam-se as crianças:
no princípio do mundo,
no reino da infância.

O CAVALO MORTO

Vi a névoa da madrugada
deslizar seus gestos de prata,
mover densidades de opala
naquele pórtico de sono.

Na fronteira havia um cavalo morto.

Grãos de cristal rolavam pelo
seu flanco nítido; e algum vento
torcia nas crinas pequeno,
leve arabesco, triste adorno,

— e movia a cauda ao cavalo morto.

As estrelas ainda viviam
e ainda não eram nascidas
ai! as flores daquele dia...
— mas era um canteiro o seu corpo:

um jardim de lírios, o cavalo morto.

Muitos viajantes contemplaram
a fluida música, a orvalhada
das grandes moscas de esmeralda
chegando em rumoroso jorro.

Adernava triste, o cavalo morto.

E viam-se uns cavalos vivos,
altos como esbeltos navios,
galopando nos ares finos,
com felizes perfis de sonho.

Branco e verde via-se o cavalo morto,

no campo enorme e sem recurso,
– e devagar girava o mundo
entre as suas pestanas, turvo
como em luas de espelho roxo.

Dava o sol nos dentes do cavalo morto.

Mas todos tinham muita pressa,
e não sentiram como a terra
procurava, de légua em légua,
o ágil, o imenso, o etéreo sopro
que faltava àquele arcabouço.

Tão pesado, o peito do cavalo morto!

Leonoreta, fin'roseta,
bela sobre toda fror,
fin'roseta, non me meta
en tal coita vosso amor!
(do *Amadis de Gaula*)

Amor em Leonoreta

I

Pela noite nemorosa,
só por alma te procuro,
ai, Leonoreta!
Leva a seta um rumo claro,
desfechada no ar escuro...
O licorne beija a rosa,
canta a fênix do alto muro:
mas é tal meu desamparo,
Leonoreta, fin'roseta,
que a chamar não me aventuro.

Rondo em sonho a tua porta,
por silêncios esvaída.
Ai, Leonoreta,
sejas viva, sejas morta,
apesar de sofrer tanto,
puro amor é minha vida.
Com três séculos de pranto,
fez-se de sal a espineta
que me acompanhava o canto.

Leonoreta, fin'roseta,
branca sobre toda flor,
ai, Leonoreta,
nos bosques atrás do mundo,
por mais que eu não to prometa,
encontrarás meu amor,
desgraçado mas jucundo,
sem desgosto e sem favor.

Leonoreta, não te meta
en gran coita a minha dor!

O licorne beija a rosa,
canta a fênix do alto muro...
Ai, Leonoreta,
salamandras e quimeras
vêm saber o que procuro.
Pela noite nemorosa,
tornam-se os picos das eras
vales rasos de violeta...
Não me digas que me esperas!
Não me acenes com o futuro...

Eu sou das sortes severas,
Leonoreta, fin'roseta.
Ai, Leonoreta,
e só do sonho inseguro.

II

Do teu nome não sabia,
mas buscava tua face.
E, algum dia,
se de ti me aproximasse,
Leonoreta, fin'roseta,
"Leonoreta!" –
exclamaria.

Meus olhos, ricos de amor,
sofriam de indiferença.
De que estrela,
ou que mundo, ou que planeta,
Leonoreta,
é nascida a branca flor
em que, antes de a amar, se pensa,
mesmo sem precisar vê-la...?

Das varandas da alta lua,
recordo o estremecimento:
era a tua
voz que me trazia o vento.
Fin'roseta!
Esta, que apenas flutua,
mais leve que borboleta;
que, longe, nada insinua...
– esta é a voz de Leonoreta!

Podia morrer de pena.
E comecei a cantar-te.
Amor é arte.

Mas a vida é tão pequena,
bela sobre toda flor!
– tão pequena para amar-te...
E em toda parte
causa espanto o meu amor.

Se como te ouvi me ouviras,
mais feliz não me fizeras.
Sei que é tanto
meu amor que, noutras eras,
Leonoreta,
viverás por esse encanto.
Mas é tão de outras esferas,
fin'roseta,
que não se ama, por enquanto...

Nem de ti desejo nada
senão saber que exististe.
A adorada
ausência não me põe triste.
Nem te meta
en gran coita, Leonoreta,
se te vi mas não me viste:
que foste a mais derrotada...

Pois, se vi que me não queres,
tu não viste como te amo...
Leonoreta,
só terei do que me deres,
que, por mim, nada reclamo.
Meu amor é flor sem ramo,
fin'roseta!
Por alheia não me feres:
sei teu nome e não te chamo.

Leonoreta, que doçura,
andar por onde estiveste!
A mais pura
imagem do amor celeste,
Leonoreta,
é minha humana aventura.
Sem fogo que o lírio creste,
sem que o sangue comprometa
o sonho, pela criatura...

Ai, Leonoreta, quem eras,
Leonoreta, fin'roseta,
entre esfinges e quimeras,
branca sobre toda flor?
Teu semblante choraria
de alegria,
se te visses debuxada
pelo meu poder de amor.

Tu, que me não deste nada!
Que nem viste quem te via!

Leonoreta,
não te meta
en gran coita a minha dor:
se te amava, não sofria...

III

Leonoreta,
fin'roseta,
longe vai teu vulto amado.
Porém resiste ao meu lado
o espaço que ocuparias.

Leonoreta,
fin'roseta,
como poderei ser triste,
se a tua sombra resiste
e tu não resistirias?

Leonoreta,
fin'roseta,
não mais penso por onde andas...
Guardo por altas varandas
tua fala em meus ouvidos.

Leonoreta,
fin'roseta,
como os puros amadores,
eu vivo a bordar de flores
a sombra dos teus vestidos.

Leonoreta,
fin'roseta,
feliz da barca e da vela,
do vento que leva a bela
mão sobre saudosos mares...

Leonoreta,
fin'roseta,
não me vês, mas eu te vejo.
Não te quero nem desejo:
morrerei, se suspirares.

IV

Morrerei, se suspirares.
Pois, se és o meu grande bem,
se eu te vejo sobre os mares,
Leonoreta,
se mais ninguém
para mim valia tem,
fin'roseta,
sofrendo por te afastares,
bela sobre toda flor
(que todos os meus pesares
são por saudade do amor),
Leonoreta,
se também
por mim visse que sofrias,
quando tudo é tão de além...

Leonoreta,
não te meta
en gran coita a minha dor...

Não venhas por onde eu for,
que eu nunca fui por onde ias!
Não venhas, que és o meu bem,
ai!
outras são as companhias,
porém.

Leonoreta,
fin'roseta:
olha os sonhos singulares
que existem porque não vêm...

VI

Leonoreta,
fin'roseta,
deixo meus olhos fechados
sobre os acontecimentos.

Não te meta
en gran coita o meu amor:

podem, por todos os lados,
duros, tenebrosos ventos
quebrar muitas tentativas.

Mas, para que eterna vivas,
que é preciso?
Que pensem meus pensamentos.

E entre polos inviolados,
entre equívocos momentos,
vem e volta a vida humana,
que se engana e desengana
em redor do Paraíso.

Branca sobre toda flor,
a Verônica levanto,
num transparente estandarte:
celebro por toda parte
a alegria de adorar-te
com o meu pranto.

Doze noturnos da Holanda

Três

A noite não é simplesmente um negrume sem margens nem
[direções.
Ela tem sua claridade, seus caminhos, suas escadas, seus andaimes.
A grande construção da noite sobe das submarinas planícies
aos longos céus estrelados
em trapézios, pontes, vertiginosos parapeitos,
para obscuras contemplações e expectativas.

Então, a noite levava-me... – por altas casas, por súbitas ruas,
e sob cortinas fechadas estavam cabeças adormecidas,
e sob luzes pálidas havia mãos em morte,
e havia corpos abraçados, e imensos desejos diversos,
dúvidas, paixões, despedidas,
– mas tudo desprendido e fluido,
suspenso entre objetos e circunstâncias,
com destrezas de arco-íris e aço.

E os jogadores de xadrez avançavam cavalos e torres,
na extremidade da noite, entre cemitérios e campos...
– mas tudo involuntário e tênue –
enquanto as flores se modelavam e, na mesma obediência,
os rebanhos formavam leite, lã,
eternamente leite, lã, mugido imenso...
Enquanto os caramujos rodavam no torno vagaroso das ondas
e a folha amarela se desprendia, terminada: ar, suspiro, solidão.

A noite levava-me, às vezes, voando pelos muros do nevoeiro,
outras vezes, boiando pelos frios canais, com seus calados barcos
ou pisando a frágil turfa ou o lodo amargo.

E belas vozes ainda acordadas iam cantando casualmente.
E jovens lábios arriscavam perguntas sobre dolorosos assuntos.
Também os cães passavam com sua sombra, lúcidos e pensativos.
E figuras sem realidade extraviadas de domicílios,
atravessadas pela noite, pela hora, pela sorte,
flutuavam com saudade, esperando impossíveis encontros,
em que países, meu Deus, em que países além da terra,
ou da imaginação?

A noite levava-me tão alto
que os desenhos do mundo se inutilizavam.
Regressavam as coisas à sua infância e ainda mais longe,
devolvidas a uma pureza total, a uma excelsa clarividência.

E tudo queria ser novamente. Não o que era, nem o que fora,
– o que devia ser, na ordem da vida imaculada.
E tudo talvez não pensasse: porém docemente sofria.

Abraçava-me à noite e pedia-lhe outros sinais, outras certezas:
a noite fala em mil linguagens, promiscuamente.

E passava-se pelo mar, em sua profunda sepultura.
E um grande pasmo de lágrimas preparava palavras e sonhos,
essas vastas nuvens que os homens buscam...

Dez

Há muito mais noite do que sobre as torres e as pontes:
e dela se avistam de outra maneira os longos prados sucessivos,
o limo, as conchas, os frágeis esqueletos,
a crespa vaga paralisada em húmus,
despedida para sempre do mar.

Para quem trabalha o flamejante universo?
Para quem se afadiga amanhã o corpo do homem transitório?
Para quem estamos pensando, na sobre-humana noite,
numa cidade tão longe, numa hora sem ninguém?
Para quem esperamos a repetição do dia,
e para quem se realizam estas metamorfoses,
todas as metamorfoses,
no fundo do mar e na rosa dos ventos,
numa vigília humana e na outra vigília,
que é sempre a mesma, sem dia, sem noite,
incógnita e evidente?

Abraçava-me à noite nítida,
à exata noite que aparece e desaparece no seu justo limite,
à noite que existe e não existe,
e murmurava aos seus ouvidos sucessivos:
"Não quero mais dormir, nunca mais... nunca..." E a noite
levava meus olhos e meu pensamento,
levava-os, entre as estrelas antigas,
entre as estrelas nascentes,
– e eram muito menores
que as letras das palavras do meu grito.

Doze

Sem podridão nenhuma, jazerá um afogado
nos canais de Amsterdão.

Quem passar entre as casas triangulares,
quem descer estas breves escadas,
quem subir para as barcas oscilantes,
repetirá perplexo:
"Há um claro afogado nos canais de Amsterdão".

É um pálido afogado, sem palavras nem datas,
sem crime nem suicídio, um lírico afogado,
com os olhos de cristal repletos de horizontes móveis,
e os longínquos ouvidos recordando na água trêmula
realejos grandes como altares,
festivos carrilhões,
mansos campos de flores.

Sem podridão nenhuma,
jazerá um afogado nos canais de Amsterdão.

Os lapidários podem vir mirar seus olhos:
não houve esmeralda assim, nem diamante, nem ditosa safira.
Mas ninguém pode tocar nesses olhos transparentes,
que se tornariam viscosos e opacos, fora desse descanso
onde encantados cintilam.

Poderão os profetas vir mirar seus finos vestidos:
bordados de mil desenhos comuns e desconhecidos;
ah! seus vestidos de água, com todas as miragens do mundo,

seus tênues vestidos como não há nos museus, nos palácios
nem nas sinagogas...
Mas não se pode tocar nesse ouro, nessa prata,
nessa resplandecente seda:
pois apenas se encontraria limo, areia, lodo.
Porque a morte é que o veste dessa maneira gloriosa,
a morte que o guarda nos braços como um belo defunto sagrado.

Sem podridão nenhuma, jazerá um afogado
nos canais de Amsterdão.

Para sempre jazerá, e quem quiser pode vir vê-lo,
com seus cabelos estrelados,
com suas brandas mãos flutuantes, livres de tudo,
sem qualquer posse,
com sua boca de sorriso outonal, cor de libélula,
e o coração luminoso e imóvel, detido como grande joia,
como o nácar mutável, pela inclinação das horas.

Todo o mundo o verá, com lua, com chuva, com escuridão,
navegar nos canais, recostado em sua própria leveza e claridade.

Sem podridão nenhuma,
jazerá um afogado nos canais de Amsterdão.

E eu sei quando ele caiu nessas águas dolentes.
Eu vi quando ele começou a boiar por esses líquidos caminhos.
Eu me debrucei para ele, da borda da noite,
e falei-lhe sem palavras nem ais,
e ele me respondia tão docemente,
que era felicidade esse profundo afogamento,
e tudo ficou para sempre numa divina aquiescência
entre a noite, a minha alma e as águas.

Sem podridão nenhuma, jazerá um afogado
nos canais de Amsterdão.

Não há nada que se possa cantar em sua memória:
qualquer suspiro seria uma nuvem, sobre essa nitidez.

O Aeronauta

Um

Agora podeis tratar-me
como quiserdes:
não sou feliz nem sou triste,
humilde nem orgulhoso,
— não sou terrestre.

Agora sei que este corpo,
insuficiente, em que assiste
remota fala,
mui docemente se perde
nos ares, como o segredo
que a vida exala.

E seu destino é ir mais longe,
tão longe, enfim, como a exata
alma, por onde
se pode ser livre e isento,
sem atos além do sonho,
dono de nada,

mas sem desejo e sem medo,
e entre os acontecimentos
tão sossegado!
Agora podeis mirar-me
enquanto eu próprio me aguardo,
pois volto e chego,

por muito que surpreendido
com os seus encontros na terra
seja o Aeronauta.

Três

Eu vi as altas montanhas
ficarem planas.
E o mar não ter movimento
e as cidades irem sendo
teias de aranha.

Por mais que houvesse, dos homens,
gritos de amor ou de fome,
não se escutava
nem a expressão nem o grito,
– que tudo fica perdido
quando se passa.

Eu vi meus sonhos antigos
não terem nenhum sentido,
e recordava
tantas nações de cativos
estendendo em seus jazigos
duras garras.

Rios de pranto e de sangue
que pareceram tão grandes,
onde é que estavam?
A asa, que longe se move,
desprende-se, quando sobe,
da humana larva.

Quatro

Agora chego e estremeço.
E olho e pergunto.
E estranho o aroma da terra,
as cores fortes do mundo
e a face humana.

Compreendo, entre o que me espera,
violências que reconheço
mas que não sinto.
Sem paixões e sem desprezo,
gasto-me todo em lembranças,
neste tumulto.

Porque chego despojado
e humilho-me de ter vindo
como estrangeiro;
– de ser apenas um vulto
que tudo que sabe é de alma,
– ao resto, alheio.

As portas dos meus armários,
que guardam dentro? Esqueci-me.
De que me servem?
Por mais que tudo examine,
vejo bem que já não tenho
laços e heranças.

Perdoai-me chegar tão leve,
eu, passageiro
dos céus, de límpido vento.

Sete

E assim no vosso convívio
o hóspede novo
sorri como antigo vivo,
ultrapassado, vencido,
o tempo em que foi, na terra
escravo e dono.

E é tão póstumo e tão livre
que cuidadoso
se inclina para quem vive
e no seu mundo invisível
as asas cerra
e pisa o chão com denodo.

E é póstumo e redivivo
e não foi morto
e nunca esteve fugido
nem se evadiu, nem foi visto
desertar de alguma guerra
ou de algum posto.

Nem ele sabe o motivo
de ser outro,
de ter subido em suspiros,
arrebatado à planície
por onde erra
a tradição do seu corpo.

E só por estar convosco
de amor se mata
submisso e mudo o Aeronauta.

Oito

Ó linguagem de palavras
longas e desnecessárias!
Ó tempo lento
de malbaratado vento
nessas desordens amargas
do pensamento...

Vou-me pelas altas nuvens
onde os momentos se fundem
numa serena
ausência feliz e plena,
liso campo sem paludes
de febre ou pena.

Por adeuses, por suspiros,
no território dos mitos,
fica a memória
mirando a forma ilusória
dos precipícios
da humana e mortal história.

E agora podeis tratar-me
como quiserdes, – que é tarde,
que a minha vida,
de chegada e de partida,
volta ao rodízio dos ares,
sem despedida.

Por mais que seja querida,
há menos felicidade
na volta, do que na ida.

Dez

Ai daquele que é chegado
e que não chega...
Por mais que aqui me equilibre,
e vos faça companhia,
tudo são queixas
de que me sentis tão livre
como alguém cuja morada
é além do dia.

Provo do vosso alimento,
retomo as humanas vestes.
Já nem suspiro
por esses rumos celestes,
jardim do meu pensamento.
Quase não vivo,
por ficar ao vosso lado.
E acusais-me de ir tão alto!

Ai, que nomes têm as coisas!
Que nomes tendes?
São vossas fontes copiosas,
mas outras são minhas sedes.
E assim me vedes
como estranho que se esquece
dos seus parentes
e que em si desaparece.

Do que pedis que me lembre,
disso me esqueço.

Mas o que recordo sempre
é o vosso nome profundo.
Esse é que tenho
só, comigo, além do mundo
e reconheço.
E, esse, mal sabeis qual seja...

Onze

Com desprezo ou com ternura,
podereis tratar-me, agora.
Tudo vos digo:
chorais o que não se chora.
E os olhos guardais esquivos
ao que a vida mais procura,
por eterno compromisso.

Sob o vosso julgamento,
com o meu segredo
tão sem mistério,
tão no rosto desenhado,
paro como um condenado.
E logo volto.
Subo ao meu doce degredo.

Como exígua lançadeira,
vou sendo o que melhor posso
de novo e antigo,
do que é meu e do que é vosso,
dos mortos como dos vivos,
por salvar a vida inteira,
que me tem a seu serviço.

E agora podeis seguir-me,
sem mais tormento,
sem mais perguntas.
Tudo é tão longe e tão firme!
Além da estrela e do vento

passa o Aeronauta
com sua mitologia.

Não clameis por sua sorte!
Tanto é noite quanto é dia.
E vida e morte.

Romanceiro da Inconfidência

Cenário

Passei por essas plácidas colinas
e vi das nuvens, silencioso, o gado
pascer nas solidões esmeraldinas.

Largos rios de corpo sossegado
dormiam sobre a tarde, imensamente,
— e eram sonhos sem fim, de cada lado.

Entre nuvens, colinas e torrente,
uma angústia de amor estremecia
a deserta amplidão na minha frente.

Que vento, que cavalo, que bravia
saudade me arrastava a esse deserto,
me obrigava a adorar o que sofria?

Passei por entre as grotas negras, perto
dos arroios fanados, do cascalho
cujo ouro já foi todo descoberto.

As mesmas salas deram-me agasalho
onde a face brilhou de homens antigos,
iluminada por aflito orvalho.

De coração votado a iguais perigos,
vivendo as mesmas dores e esperanças,
a voz ouvi de amigos e inimigos.

Vencendo o tempo, fértil em mudanças,
conversei com doçura as mesmas fontes,
e vi serem comuns nossas lembranças.

Da brenha tenebrosa aos curvos montes,
do quebrado almocafre aos anjos de ouro
que o céu sustêm nos longos horizontes,

tudo me fala e entende do tesouro
arrancado a estas Minas enganosas,
com sangue sobre a espada, a cruz e o louro.

Tudo me fala e entendo: escuto as rosas
e os girassóis destes jardins, que um dia
foram terras e areias dolorosas,

por onde o passo da ambição rugia;
por onde se arrastava, esquartejado,
o mártir sem direito de agonia.

Escuto os alicerces que o passado
tingiu de incêndio: a voz dessas ruínas
de muros de ouro em fogo evaporado.

Altas capelas contam-me divinas
fábulas. Torres, santos e cruzeiros
apontam-me altitudes e neblinas.

Ó pontes sobre os córregos! ó vasta
desolação de ermas, estéreis serras
que o sol frequenta e a ventania gasta!

*Rubras, cinéreas, tenebrosas terras
retalhadas, por grandes golpes duros,
de infatigáveis, seculares guerras...*

*Tudo me chama: a porta, a escada, os muros,
as lajes sobre mortos ainda vivos,
dos seus próprios assuntos inseguros.*

*Assim viveram chefes e cativos,
um dia, neste campo, entrelaçados
na mesma dor, quiméricos e altivos.*

*E assim me acenam por todos os lados.
Porque a voz que tiveram ficou presa
na sentença dos homens e dos fados.*

*Cemitério das almas... – que tristeza
nutre as papoulas de tão vaga essência?
(Tudo é sombra de sombras, com certeza...*

*O mundo, vaga e inábil aparência,
que se perde nas lápides escritas,
sem qualquer consistência ou consequência.*

*Vão-se as datas e as letras eruditas
na pedra e na alma, sob etéreos ventos,
em lúcidas venturas e desditas.*

*E são todas as coisas uns momentos
de perdulária fantasmagoria,
– jogo de fugas e aparecimentos.)*

Das grotas de ouro à extrema escadaria,
por asas de memória e de saudade,
com o pó do chão meu sonho confundia.

Armado pó que finge eternidade,
lavra imagens de santos e profetas
cuja voz silenciosa nos persuade.

E recompunha as coisas incompletas:
figuras inocentes, vis, atrozes,
vigários, coronéis, ministros, poetas.

Retrocedem os tempos tão velozes,
que ultramarinos árcades pastores
falam de Ninfas e Metamorfoses.

E percebo os suspiros dos amores
quando por esses prados florescentes
se ergueram duros punhos agressores.

Aqui tiniram ferros de correntes;
pisaram por ali tristes cavalos.
E enamorados olhos refulgentes

– parado o coração por escutá-los –
prantearam nesse pânico de auroras
densas de brumas e gementes galos.

Isabéis, Doroteias, Eliodoras,
ao longo desses vales, desses rios,
viram as suas mais douradas horas

em vasto furacão de desvarios
vacilar como em caules de altas velas
cálida luz de trêmulos pavios.

Minha sorte se inclina junto àquelas
vagas sombras da triste madrugada,
fluidos perfis de donas e donzelas.

Tudo em redor é tanta coisa e é nada:
Nise, Anarda, Marília... – quem procuro?
Quem responde a essa póstuma chamada?

Que mensageiro chega, humilde e obscuro?
Que cartas se abrem? Quem reza ou prajgueja?
Quem foge? Entre que sombras me aventuro?

Que soube cada santo em cada igreja?
A memória é também pálida e morta
sobre a qual nosso amor saudoso adeja.

O passado não abre a sua porta
e não pode entender a nossa pena.
Mas, nos campos sem fim que o sonho corta,

vejo uma forma no ar subir serena:
vaga forma, do tempo desprendida.
É a mão do Alferes, que de longe acena.

Eloquência da simples despedida:
"Adeus! que trabalhar vou para todos!..."

(Esse adeus estremece a minha vida.)

Romance IV ou Da donzela assassinada

"Sacudia o meu lencinho
para estendê-lo a secar.
Foi pelo mês de dezembro,
pelo tempo do Natal.
Tão feliz que me sentia,
vendo as nuvenzinhas no ar,
vendo o sol e vendo as flores
nos arbustos do quintal,
tendo ao longe, na varanda,
um rosto para mirar!

"Ai de mim, que suspeitaram
que lhe estaria a acenar!
Sacudia o meu lencinho
para estendê-lo a secar.
Lencinho lavado em pranto,
grosso de sonho e de sal,
de noites que não dormira,
na minha alcova a pensar,
– porque o meu amor é pobre,
de condição desigual.

"Era no mês de dezembro,
pelo tempo do Natal.
Tinha o amor na minha frente,
tinha a morte por detrás:
desceu meu pai pela escada,
feriu-me com seu punhal.
Prostrou-me a seus pés, de bruços,

sem mais força para um ai!
Reclinei minha cabeça
em bacia de coral.
Não vi mais as nuvenzinhas
que pasciam pelo ar.
Ouvi minha mãe aos gritos
e meu pai a soluçar,
entre escravos e vizinhos,
— e não soube nada mais.

"Se voasse o meu lencinho,
grosso de sonho e de sal,
e pousasse na varanda,
e começasse a contar
que morri por culpa do ouro
— que era de ouro esse punhal
que me enterrou pelas costas
a dura mão de meu pai —
sabe Deus se choraria
quem o pudesse escutar,
— se voasse o meu lencinho
e se pudesse falar,
como fala o periquito
e voa o pombo-torcaz...

"Reclinei minha cabeça
em bacia de coral.
Já me esqueci do meu nome,
por mais que o queira lembrar!

"Foi pelo mês de dezembro,
pelo tempo do Natal.
Tudo tão longe, tão longe,

que não se pode encontrar.
Mas eu vagueio sozinha,
pela sombra do quintal,
e penso em meu triste corpo,
que não posso levantar,
e procuro o meu lencinho,
que não sei por onde está,
e relembro uma varanda
que havia neste lugar...

"Ai, minas de Vila Rica,
santa Virgem do Pilar!
dizem que eram minas de ouro...
– para mim, de rosalgar,
para mim, donzela morta
pelo orgulho de meu pai.
(Ai, pobre mão de loucura,
que mataste por amar!)
Reparai nesta ferida
que me fez o seu punhal:
gume de ouro, punho de ouro,
ninguém o pode arrancar!
Há tanto tempo estou morta!
E continuo a penar."

Romance V ou Da destruição de Ouro Podre

Dorme, meu menino, dorme,
que o mundo vai se acabar.
Vieram cavalos de fogo:
são do Conde de Assumar.
Pelo Arraial de Ouro Podre,
começa o incêndio a lavrar.

O Conde jurou no Carmo
não fazer mal a ninguém.
(Vede agora pelo morro
que palavra o Conde tem!
Casas, muros, gente aflita
no fogo rolando vêm!)

D. Pedro, de uma varanda,
viu desfazer-se o arraial.
Grande vilania, Conde,
cometes, para teu mal.
Mas o que aguenta as coroas
é sempre a espada brutal.

Riqueza grande da terra,
quantos por ti morrerão!
(Vede as sombras dos soldados
entre pólvora e alcatrão!
Valha-nos Santa Ifigênia!
– E isto é ser povo cristão!)

Dorme, meu menino, dorme...
Dorme e não queiras sonhar.
Morreu Felipe dos Santos
e, por castigo exemplar,
depois de morto na forca,
mandaram-no esquartejar!

Cavalos a que o prenderam,
estremeciam de dó,
por arrastarem seu corpo
ensanguentado, no pó.
Há multidões para os vivos:
porém quem morre vai só.

Dentro do tempo há mais tempo,
e, na roca da ambição,
vai-se preparando a teia
dos castigos que virão:
há mais forcas, mais suplícios
para os netos da traição.

Embaixo e em cima da terra,
o ouro um dia vai secar.
Toda vez que um justo grita,
um carrasco o vem calar.
Quem não presta, fica vivo:
quem é bom, mandam matar.

Dorme, meu menino, dorme...
Fogo vai, fumaça vem...
Um vento de cinzas negras
levou tudo para além...
Dizem que o Conde se ria!
Mas, quem ri, chora também.

Quando um dia fores grande,
e passares por ali,
dirás: "Morro da Queimada,
como foste, nunca vi:
mas, só de te ver agora,
ponho-me a chorar por ti:

por tuas casas caídas,
pelos teus negros quintais,
pelos corações queimados
em labaredas fatais,
– por essa cobiça de ouro
que ardeu nas minas gerais".

Foi numa noite medonha,
numa noite sem perdão.
Dissera o Conde: "Estais livres".
E deu ordem de prisão.
Isso, Dom Pedro de Almeida,
é o que faz qualquer vilão.

    Dorme, meu menino, dorme...
    Que fumo subiu pelo ar!
    As ruas se misturaram,
    tudo perdeu seu lugar.
    Quem vos deu poder tamanho,
    Senhor Conde de Assumar?

    "Jurisdição para tanto
    não tinha, Senhor, bem sei..."
    (Vede os pequenos tiranos
    que mandam mais do que o Rei!
    Onde a fonte do ouro corre,
    apodrece a flor da Lei!)

Dorme, meu menino, dorme,
– que Deus te ensine a lição
dos que sofrem neste mundo
violência e perseguição.
Morreu Felipe dos Santos:
outros, porém, nascerão.

    Não há Conde, não há forca,
    não há coroa real
    mais seguros que estas casas,
    que estas pedras do arraial,
    deste Arraial do Ouro Podre
    que foi de Mestre Pascoal.

Romance VII ou Do negro nas catas

Já se ouve cantar o negro,
mas inda vem longe o dia.
Será pela estrela-d'alva,
com seus raios de alegria?
Será por algum diamante
a arder, na aurora tão fria?

Já se ouve cantar o negro,
pela agreste imensidão.
Seus donos estão dormindo:
quem sabe o que sonharão!
Mas os feitores espiam,
de olhos pregados no chão.

Já se ouve cantar o negro.
Que saudade, pela serra!
Os corpos, naquelas águas,
– as almas, por longe terra.
Em cada vida de escravo,
que surda, perdida guerra!

Já se ouve cantar o negro.
Por onde se encontrarão
essas estrelas sem jaça
que livram da escravidão,
pedras que, melhor que os homens,
trazem luz no coração?

Já se ouve cantar o negro.
Chora neblina, a alvorada.
Pedra miúda não vale:
liberdade é pedra grada...
(A terra toda mexida,
a água toda revirada...

Deus do céu, como é possível
penar tanto e não ter nada!)

Romance XI ou Do punhal e da flor

Rezando estava a donzela,
rezando diante do altar.
E como a viam mirada
pelo Ouvidor Bacelar!
Foi pela Semana Santa.
E era sagrado, o lugar.

Muito se esquecem os homens,
quando se encantam de amor.
Mirava em sonho, a donzela,
o enamorado Ouvidor.
E em linguagem de amoroso
arremessou-lhe uma flor.

Caiu-lhe a rosa no colo.
Girou malícia pelo ar.
Vem, raivoso, Felisberto,
seu parente, protestar.
E era na Semana Santa.
E estavam diante do altar.

Mui formosa era a donzela.
E mui formosa era a flor.
Mas sempre vai desventura
onde formosura for.
Vede que punhal rebrilha
na mão do Contratador!

Sobe pela rua a tropa
que já se mandou chamar.
E era à saída da igreja,
depois do ofício acabar.
Vede a mão que há pouco esteve
contrita, diante do altar!

Num botão resvala o ferro:
e assim se salva o Ouvidor.
Todo o Tejuco murmura,
– uns por ódio, uns por amor.
Subir um punhal nos ares,
por ter descido uma flor!

Romance XII ou De Nossa Senhora da Ajuda

Havia várias imagens
na capela do Pombal:
e portada de cortinas
e sanefa de damasco
e, no altar, o seu frontal.

São Francisco, Santo Antônio
olhavam para Jesus
que explicava, noite e dia,
com sua simples presença,
a aprendizagem da cruz.

Havia prato e galhetas,
panos roxos e missal;
e dois castiçais de estanho
e vozes puxando rezas,
na capela do Pombal.

*(Pequenas imagens
de pouco valor,
os Santos, a Virgem
e Nosso Senhor.)*

Aquilo que mais valia
na capela do Pombal
era a Senhora da Ajuda,
com seu cetro, com seu manto,
com seus olhos de cristal.

Sete crianças, na capela,
rezavam, cheias de fé,
à grande Santa formosa.
Eram três de cada lado,
os filhos do almotacé.

Suplicam as sete crianças
que a Santa as livre do mal.
Três meninas, três meninos...
E um grande silêncio reina
na capela do Pombal.

*(Mas esse, do meio,
tão sério, quem é?
– Eu, Nossa Senhora,
sou Joaquim José.)*

Ah! como ficam pequenos
os doces poderes seus!
Este é sem Anjo da Guarda,
sem estrela, sem madrinha...
Que o proteja a mão de Deus!

Diante deste solitário,
na capela do Pombal,
Nossa Senhora da Ajuda
é uma grande imagem triste,
longe do mundo mortal.

(Nossa Senhora da Ajuda,
entre os meninos que estão
rezando aqui na capela,
um vai ser levado à forca,
com baraço e com pregão!)

(Salvai-o, Senhora
com o vosso poder,
do triste destino
que vai padecer!)

(Pois vai ser levado à forca,
para morte natural,
esse que não estais ouvindo,
tão contrito, de mãos postas,
na capela do Pombal!)

Sete crianças se levantam.
Todas sete estão de pé,
fitando a Santa formosa,
de cetro, manto e coroa.
— No meio, Joaquim José.

(Agora são tempos de ouro.
Os de sangue vêm depois.
Vêm algemas, vêm sentenças,
vêm cordas e cadafalsos,
na era de noventa e dois.)

(Lá vai um menino
entre seis irmãos.
Senhora da Ajuda,
pelo vosso nome,
estendei-lhe as mãos!)

Romance XIV ou Da Chica da Silva

*(Isso foi lá para os lados
do Tejuco, onde os diamantes
transbordavam do cascalho.)*

Que andor se atavia
naquela varanda?
É a Chica da Silva:
é a Chica-que-manda!

Cara cor da noite,
olhos cor de estrela.
Vem gente de longe
para conhecê-la.

*(Por baixo da cabeleira,
tinha a cabeça rapada
e até dizem que era feia.)*

Vestida de tisso,
de raso e de holanda,
– é a Chica da Silva:
é a Chica-que-manda!

Escravas, mordomos
seguem, como um rio,
a dona do dono
do Serro do Frio.

(Doze negras em redor,
— como as horas, nos relógios.
Ela, no meio, era o sol!)

Um rio que, altiva,
dirige e comanda
a Chica da Silva,
a Chica-que-manda.

Esplendem as pedras
por todos os lados:
são flechas em selvas
de leões marchetados.

(Diamantes eram, sem jaça,
por mais que muitos quisessem
dizer que eram pedras falsas.)

Mil luzeiros chispam,
à flexão mais branda
da Chica da Silva,
da Chica-que-manda!

E curvam-se, humildes,
fidalgos farfantes,
à luz dessa incrível
festa de diamantes.

(Olhava para os reinóis
e chamava-os "marotinhos"!
Quem viu desprezo maior?)

Gira a noite, gira,
dourada ciranda
da Chica da Silva,
da Chica-que-manda!

E em tanque de assombro
veleja o navio
da dona do dono
do Serro do Frio.

> *(Dez homens o tripulavam,*
> *para que a negra entendesse*
> *como andam barcos nas águas.)*

Aonde o leva a brisa
sobre a vela panda?
— À Chica da Silva:
à Chica-que-manda.

À Vênus que afaga,
soberba e risonha,
as luzentes vagas
do Jequitinhonha.

> *(À Rainha de Sabá,*
> *num vinhedo de diamantes*
> *poder-se-ia comparar.)*

Nem Santa Ifigênia,
toda em festa acesa,
brilha mais que a negra
na sua riqueza.

Contemplai, branquinhas,
na sua varanda,
a Chica da Silva,
a Chica-que-manda!

(Coisa igual nunca se viu.
Dom João Quinto, rei famoso,
não teve mulher assim!)

Romance XXI ou Das ideias

A vastidão desses campos.
A alta muralha das serras.
As lavras inchadas de ouro.
Os diamantes entre as pedras.
Negros, índios e mulatos.
Almocafres e gamelas.

Os rios todos virados.
Toda revirada, a terra.
Capitães, governadores,
padres, intendentes, poetas.
Carros, liteiras douradas,
cavalos de crina aberta.
A água a transbordar das fontes.
Altares cheios de velas.
Cavalhadas. Luminárias.
Sinos. Procissões. Promessas.
Anjos e santos nascendo
em mãos de gangrena e lepra.
Finas músicas broslando
as alfaias das capelas.
Todos os sonhos barrocos
deslizando pelas pedras.
Pátios de seixos. Escadas.
Boticas. Pontes. Conversas.
Gente que chega e que passa.
E as ideias.

Amplas casas. Longos muros.
Vida de sombras inquietas.
Pelos cantos das alcovas,
histerias de donzelas.
Lamparinas, oratórios,
bálsamos, pílulas, rezas.
Orgulhosos sobrenomes.
Intricada parentela.
No batuque das mulatas,
a prosápia degenera:
pelas portas dos fidalgos,
na lã das noites secretas,
meninos recém-nascidos
como mendigos esperam.
Bastardias. Desavenças.
Emboscadas pela treva.
Sesmarias. Salteadores.
Emaranhadas invejas.
O clero. A nobreza. O povo.
E as ideias.

E as mobílias de cabiúna.
E as cortinas amarelas.
D. José. D. Maria.
Fogos. Mascaradas. Festas.
Nascimentos. Batizados.
Palavras que se interpretam
nos discursos, nas saúdes...
Visitas. Sermões de exéquias.
Os estudantes que partem.
Os doutores que regressam.
(Em redor das grandes luzes,
há sempre sombras perversas.

Sinistros corvos espreitam
pelas douradas janelas.)
E há mocidade! E há prestígio.
E as ideias.

As esposas preguiçosas
na rede embalando as sestas.
Negras de peitos robustos
que os claros meninos cevam.
Arapongas, papagaios,
passarinhos da floresta.
Essa lassidão do tempo
entre embaúbas, quaresmas,
cana, milho, bananeiras
e a brisa que o riacho encrespa.
Os rumores familiares
que a lenta vida atravessam:
elefantíases; partos;
sarna; torceduras; quedas;
sezões; picadas de cobras;
sarampos e erisipelas...
Candombeiros. Feiticeiros.
Unguentos. Emplastos. Ervas.
Senzalas. Tronco. Chibata.
Congos. Angolas. Benguelas.
Ó imenso tumulto humano!
E as ideias.

Banquetes. Gamão. Notícias.
Livros. Gazetas. Querelas.
Alvarás. Decretos. Cartas.
A Europa a ferver em guerras.
Portugal todo de luto:

triste Rainha o governa!
Ouro! Ouro! Pedem mais ouro!
E sugestões indiscretas:
tão longe o trono se encontra!
Quem no Brasil o tivera!
Ah, se D. José II
põe a coroa na testa!
Uns poucos de americanos,
por umas praias desertas,
já libertaram seu povo
da prepotente Inglaterra!
Washington. Jefferson. Franklin.
(Palpita a noite, repleta
de fantasmas, de preságios...)
E as ideias.

Doces invenções da Arcádia!
Delicada primavera:
pastoras, sonetos, liras,
– entre as ameaças austeras
de mais impostos e taxas
que uns protelam e outros negam.
Casamentos impossíveis.
Calúnias. Sátiras. Essa
paixão da mediocridade
que na sombra se exaspera.
E os versos de asas douradas,
que amor trazem e amor levam...
Anarda. Nise. Marília...
As verdades e as quimeras.
Outras leis, outras pessoas.
Novo mundo que começa.
Nova raça. Outro destino.

Plano de melhores eras.
E os inimigos atentos,
que, de olhos sinistros, velam.
E os aleives. E as denúncias.
E as ideias.

Romance XXIV ou Da bandeira da Inconfidência

Através de grossas portas,
sentem-se luzes acesas,
– e há indagações minuciosas
dentro das casas fronteiras:
olhos colados aos vidros,
mulheres e homens à espreita,
caras disformes de insônia,
vigiando as ações alheias.
Pelas gretas das janelas,
pelas frestas das esteiras,
agudas setas atiram
a inveja e a maledicência.
Palavras conjeturadas
oscilam no ar de surpresas,
como peludas aranhas
na gosma das teias densas,
rápidas e envenenadas,
engenhosas, sorrateiras.

    Atrás de portas fechadas,
    à luz de velas acesas,
    brilham fardas e casacas,
    junto com batinas pretas.
    E há finas mãos pensativas,
    entre galões, sedas, rendas,
    e há grossas mãos vigorosas,
    de unhas fortes, duras veias,
    e há mãos de púlpito e altares,
    de Evangelhos, cruzes, bênçãos.

Uns são reinóis, uns, mazombos;
e pensam de mil maneiras;
mas citam Vergílio e Horácio,
e refletem, e argumentam,
falam de minas e impostos,
de lavras e de fazendas,
de ministros e rainhas
e das colônias inglesas.

Atrás de portas fechadas,
à luz de velas acesas,
uns sugerem, uns recusam,
uns ouvem, uns aconselham.
Se a derrama for lançada,
há levante, com certeza.
Corre-se por essas ruas?
Corta-se alguma cabeça?
Do cimo de alguma escada,
profere-se alguma arenga?
Que bandeira se desdobra?
Com que figura ou legenda?
Coisas da Maçonaria,
do Paganismo ou da Igreja?
A Santíssima Trindade?
Um gênio a quebrar algemas?

Atrás de portas fechadas,
à luz de velas acesas,
entre sigilo e espionagem,
acontece a Inconfidência.
E diz o Vigário ao Poeta:
"Escreva-me aquela letra
do versinho de Vergílio..."

E dá-lhe o papel e a pena.
E diz o Poeta ao Vigário,
com dramática prudência:
"Tenha meus dedos cortados,
antes que tal verso escrevam..."
LIBERDADE, AINDA QUE TARDE,
ouve-se em redor da mesa.
E a bandeira já está viva,
e sobe, na noite imensa.
E os seus tristes inventores
já são réus – pois se atreveram
a falar em Liberdade
(que ninguém sabe o que seja).

Através de grossas portas,
sentem-se luzes acesas,
– e há indagações minuciosas
dentro das casas fronteiras.
"Que estão fazendo, tão tarde?
Que escrevem, conversam, pensam?
Mostram livros proibidos?
Leem notícias nas Gazetas?
Terão recebido cartas
de potências estrangeiras?"
(Antiguidades de Nîmes
em Vila Rica suspensas!
Cavalo de La Fayette
saltando vastas fronteiras!
Ó vitórias, festas, flores
das lutas da Independência!
Liberdade – essa palavra
que o sonho humano alimenta:
que não há ninguém que explique,
e ninguém que não entenda!)

E a vizinhança não dorme:
murmura, imagina, inventa.
Não fica bandeira escrita,
mas fica escrita a sentença.

Romance XXXI ou De mais tropeiros

Por aqui passava um homem
— e como o povo se ria! —
que reformava este mundo
de cima da montaria.

Tinha um machinho rosilho.
Tinha um machinho castanho.
Dizia: "Não se conhece
país tamanho!"

"Do Caeté a Vila Rica,
tudo ouro e cobre!
O que é nosso, vão levando...
E o povo aqui sempre pobre!"

Por aqui passava um homem
— e como o povo se ria! —
que não passava de Alferes
de cavalaria!

"Quando eu voltar — afirmava —
outro haverá que comande.
Tudo isto vai levar volta,
e eu serei grande!"

"Faremos a mesma coisa
que fez a América Inglesa!"
E bradava: "Há de ser nossa
tanta riqueza!"

Por aqui passava um homem
— e como o povo se ria! —
"Liberdade ainda que tarde"
nos prometia.

E cavalgava o machinho.
E a marcha era tão segura
que uns diziam: "Que coragem!"
E outros: "Que loucura!"

Lá se foi por esses montes,
o homem de olhos espantados,
a derramar esperanças
por todos os lados.

Por aqui passava um homem...
— e como o povo se ria! —
Ele, na frente, falava,
e, atrás, a sorte corria...

Dizem que agora foi preso,
não se sabe onde.
(Por umas cartas entregues
ao Vice-Rei e ao Visconde.)

Pois parecia loucura,
mas era mesmo verdade.
Quem pode ser verdadeiro,
sem que desagrade?

Por aqui passava um homem...
— e como o povo se ria! —
No entanto, à sua passagem,
tudo era como alegria.

Mas ninguém mais se está rindo,
pois talvez ainda aconteça
que ele por aqui não volte,
ou que volte sem cabeça...

(Pobre daquele que sonha
fazer bem – grande ousadia –
quando não passa de Alferes
de cavalaria!)

Por aqui passava um homem...
– e o povo todo se ria.

Romance XXXVIII ou Do Embuçado

Homem ou mulher? Quem soube?
Tinha o chapéu desabado.
A capa embrulhava-o todo:
era o Embuçado.

Fidalgo? Escravo? Quem era?
De quem trazia o recado?
Foi no quintal? Foi no muro?
Mas de que lado?

Passou por aquela ponte?
Entrou naquele sobrado?
Vinha de perto ou de longe?
Era o Embuçado.

Trazia chaves pendentes?
Bateu com o punho apressado?
Viu a dona com o menino?
Ficou calado?

A casa não era aquela?
Notou que estava enganado?
Ficou chorando o menino?
Era o Embuçado.

"Fugi, fugi, que vem tropa,
que sereis preso e enforcado..."
Isso foi tudo o que disse
o mascarado?

Subiu por aquele morro?
Entrou naquele valado?
Desapareceu na fonte?
Era o Embuçado.

Homem ou mulher? Quem soube?
Veio por si? Foi mandado?
A que horas foi? De que noite?
Visto ou sonhado?

Era a Morte, que corria?
Era o Amor, com seu cuidado?
Era o Amigo? Era o Inimigo?
Era o Embuçado.

Romance XLVI ou Do caixeiro Vicente

A mim, o que mais me doera,
se eu fora o tal Tiradentes,
era o sentir-me mordido
por esse em quem pôs os dentes.
Mal-empregado trabalho,
na boca dos maldizentes!

Assim se forjam palavras,
assim se engendram culpados;
assim se traça o roteiro
de exilados e enforcados:
a língua a bater nos dentes...
Grandes medos mastigados...

O medo nos incisivos,
nos caninos, nos molares;
o medo a tremer nos queixos,
a descer aos calcanhares;
o medo a abalar a terra,
o medo a toldar os ares;

o medo a entregar amigos
à sanha dos potentados;
a fazer das testemunhas
algozes dos acusados;
a comprar os ouvidores,
os escrivães e os soldados...

Vicente Vieira da Mota,
muitos são teus descendentes!
Tu, com o rico patrão salvo,
acusas o Tiradentes.
Mordem a carne do fraco
teus rijos, certeiros dentes!

Dentes de marfim talhado,
que tão bem-feitos fazia,
dentes de víbora foram,
pela tua covardia.
Que poderosa peçonha
por dentro deles subia!

Entre os dentes o tomaste,
como animal carniceiro,
nome e fama lhe mordeste,
– tu, cúmplice e companheiro,
sabendo que não se salva
quem não dispõe de dinheiro!

E os dentes com que o ferias
eram, afinal, os dentes
que na boca te puseram
as suas mãos diligentes.
(Isso é o que a mim mais me doera
se eu fora o tal Tiradentes!)

Romance LIII ou Das palavras aéreas

Ai, palavras, ai, palavras,
que estranha potência, a vossa!
Ai, palavras, ai, palavras,
sois de vento, ides no vento,
no vento que não retorna,
e, em tão rápida existência,
tudo se forma e transforma!

Sois de vento, ides no vento,
e quedais, com sorte nova!

Ai, palavras, ai, palavras,
que estranha potência, a vossa!
Todo o sentido da vida
principia à vossa porta;
o mel do amor cristaliza
seu perfume em vossa rosa;
sois o sonho e sois a audácia,
calúnia, fúria, derrota...

A liberdade das almas,
ai! com letras se elabora...
E dos venenos humanos
sois a mais fina retorta:
frágil, frágil como o vidro
e mais que o aço poderosa!
Reis, impérios, povos, tempos,
pelo vosso impulso rodam...

Detrás de grossas paredes,
de leve, quem vos desfolha?
Pareceis de tênue seda,
sem peso de ação nem de hora...
– e estais no bico das penas,
– e estais na tinta que as molha,
– e estais nas mãos dos juízes,
– e sois o ferro que arrocha,
– e sois barco para o exílio,
– e sois Moçambique e Angola!

Ai, palavras, ai, palavras,
íeis pela estrada afora,
erguendo asas muito incertas,
entre verdade e galhofa,
desejos do tempo inquieto,
promessas que o mundo sopra...

Ai, palavras, ai, palavras,
mirai-vos: que sois, agora?

– Acusações, sentinelas,
bacamarte, algema, escolta;
– o olho ardente da perfídia,
a velar, na noite morta;
– a umidade dos presídios,
– a solidão pavorosa;
– duro ferro de perguntas,
com sangue em cada resposta;
– e a sentença que caminha,
– e a esperança que não volta,
– e o coração que vacila,
– e o castigo que galopa...

Ai, palavras, ai, palavras,
que estranha potência, a vossa!
Perdão podíeis ter sido!
– sois madeira que se corta,
– sois vinte degraus de escada,
– sois um pedaço de corda...
– sois povo pelas janelas,
cortejo, bandeiras, tropa...

Ai, palavras, ai, palavras,
que estranha potência, a vossa!
Éreis um sopro na aragem...
– sois um homem que se enforca!

Romance LVI ou Da arrematação dos bens do Alferes

Arrematai o machinho
castanho rosilho! Custa
10 mil-réis: o que o algebrista
lhe pôs na avaliação.
Ai! corta rios e espinhos,
e já nada mais o assusta:
Só ele sabe o que leva
na sua imaginação.

Arrematai as esporas,
com seu jogo de fivelas!
Pesam 39 oitavas
e uma pequena fração.
E ireis pelo mundo afora
aprumado em qualquer sela,
propalando a sanha brava
dessa história de traição.

Arrematai as navalhas
e a tabaqueira de chifre!
Neste corredor de trevas,
nossos passos aonde irão?
Feliz aquele que leve
um ponteiro que o decifre!
Arrematai-o! – Não falha,
este relógio marcão.

Arrematai, juntamente,
esta bolsinha dos ferros:

por menos de 3 cruzados,
ficareis tendo a ilusão
de, por entre escuma e berro,
arrancar os duros dentes
a qualquer monstro execrando
ou peçonhento dragão!

Arrematai, sobretudo,
este pobre canivete.
São 30 réis, 30, apenas...
E com que satisfação
aparareis vossa pena!
Quem sabe em que papéis mudos
ela, a correr, interprete
esta vã conspiração.

E este espelho, surpreendido
por não sentir mais a cara
de entusiasmo, dor e espanto
daquele homem de paixão?
Arrematai-o! Um gemido,
que antes nunca se escutara,
e turvas gotas de pranto
em sua lâmina estão.

Arrematai a fivela
da volta do pescocinho,
que para sempre recorda
definitiva aflição!
Pois estão marcados nela
o sítio certo e o caminho
por onde cutelo e cordas
cumprem sua obrigação.

Arrematai essas horas
guardadas pelos ponteiros,
arrancadas ao seu dono,
rogando consumação!
Interrogai-as, agora
que os reis tremem nos seus tronos,
e os antigos prisioneiros
de cinza e de glória são.

Romance LVIII ou Da grande madrugada

Se já vai longe a alvorada,
então, por que tarda o dia?
Que negrume se levanta,
e com sua forma espanta
a luz que o mar anuncia?

Não é nuvem nem rochedo:
detende as rédeas ao medo!
– É o negro Capitania.

Olhai, vós, os condenados,
a grande sombra que avança:
livre de pasmo e alvoroço,
este é o que aperta o pescoço
aos réus faltos de esperança...

E, para gerais assombros,
ainda lhes cavalga os ombros,
e nos ares se balança!

Ah, não fecheis vossos olhos,
que hoje é tempo de agonia!
Lembrai-vos deste momento,
neste sinistro aposento
onde a morte principia!

Vede o mártir como fita
sereno a sua desdita
e o negro Capitania!

"Oh!-permite que te beije
os pés e as mãos... Nem te importe
arrancar-me este vestido...
Pois também na cruz, despido,
morreu quem salva da morte!"

> *Vede o carrasco ajoelhado,*
> *todo em lágrimas lavado,*
> *lamentar a sua sorte!*

Já vai o mártir andando,
cercado da clerezia.
Franjas, arreios dourados,
clarins, cavalos, soldados,
e uma carreta sombria,

> *que lhe vai seguindo os passos,*
> *e onde há de vir em pedaços,*
> *com o negro Capitania.*

Ah, quanto povo apinhado
pelos morros e janelas!
Ouvidores e ministros
carregam perfis sinistros
no alto de faustosas selas.

> *Ondulam colchas ao vento*
> *e – brancas de sentimento –*
> *rezam donas e donzelas.*

Ah, quantos degraus puseram
para a fúnebre alegria
de ver um morto lá no alto,

de assistir ao sobressalto
dessa afrontosa agonia!

   E ver levantar-se o braço,
   e ver pular pelo espaço
   o negro Capitania!

"Nem por pensamento traias
teu Rei..." Mas, na grande praça
há um silencioso tumulto:
grito do remorso oculto,
sentimento da desgraça...

   Para o tempo, de repente.
   Fica o dia diferente.
   E agora a carreta passa.

Romance LIX ou Da reflexão dos justos

Foi trabalhar para todos...
— e vede o que lhe acontece!
Daqueles a quem servia,
já nenhum mais o conhece.
Quando a desgraça é profunda,
que amigo se compadece?

Tanta serra cavalgada!
Tanto palude vencido!
Tanta ronda perigosa,
em sertão desconhecido!
— E agora é um simples Alferes
louco, — sozinho e perdido.

Talvez chore na masmorra.
Que o chorar não é fraqueza.
Talvez se lembre dos sócios
dessa malograda empresa.
Por eles, principalmente,
suspirará de tristeza.

Sábios, ilustres, ardentes,
quando tudo era esperança...
E, agora, tão deslembrados
até da sua aliança!
Também a memória sofre,
e o heroísmo também cansa.

Não choram somente os fracos.
O mais destemido e forte,
um dia, também pergunta,
contemplando a humana sorte,
se aqueles por quem morremos
merecerão nossa morte.

Foi trabalhar para todos...
Mas, por ele, quem trabalha?
Tombado fica seu corpo,
nessa esquisita batalha.
Suas ações e seu nome,
por onde a glória os espalha?

Ambição gera injustiça.
Injustiça, covardia.
Dos heróis martirizados
nunca se esquece a agonia.
Por horror ao sofrimento,
ao valor se renuncia.

E, à sombra de exemplos graves,
nascem gerações opressas.
Quem se mata em sonho, esforço,
mistérios, vigílias, pressas?
Quem confia nos amigos?
Quem acredita em promessas?

Que tempos medonhos chegam,
depois de tão dura prova?
Quem vai saber, no futuro,
o que se aprova ou reprova?
De que alma é que vai ser feita
essa humanidade nova?

Romance LX ou Do caminho da forca

Os militares, o clero,
os meirinhos, os fidalgos
que o conheciam das ruas,
das igrejas e do teatro,
das lojas dos mercadores
e até da sala do Paço;
e as donas mais as donzelas
que nunca o tinham mirado,
os meninos e os ciganos,
as mulatas e os escravos,
os cirurgiões e algebristas,
leprosos e encarangados,
e aqueles que foram doentes
e que ele havia curado
– agora estão vendo ao longe,
de longe escutando o passo
do Alferes que vai à forca,
levando ao peito o baraço,
levando no pensamento
caras, palavras e fatos:
as promessas, as mentiras,
línguas vis, amigos falsos,
coronéis, contrabandistas,
ermitões e potentados,
estalagens, vozes, sombras,
adeuses, rios, cavalos...

Ao longo dos campos verdes,
tropeiros tocando o gado...
O vento e as nuvens correndo
por cima dos montes claros.

Onde estão os poderosos?
Eram todos eles fracos?
Onde estão os protetores?
Seriam todos ingratos?
Mesquinhas almas, mesquinhas,
dos chamados leais vassalos!

Tudo leva nos seus olhos,
nos seus olhos espantados,
o Alferes que vai passando
para o imenso cadafalso,
onde morrerá sozinho
por todos os condenados.

Ah, solidão do destino!
Ah, solidão do Calvário...
Tocam sinos: Santo Antônio?
Nossa Senhora do Parto?
Nossa Senhora da Ajuda?
Nossa Senhora do Carmo?
Frades e monjas rezando.
Todos os santos calados.

(Caminha a Bandeira
da Misericórdia.
Caminha, piedosa.
Caísse o réu vivo,
rebentasse a corda,

que o protegeria
a Santa Bandeira
da Misericórdia!)

Dona Maria I,
aqueles que foram salvos
não vos livram do remorso
deste que não foi perdoado...
(Pobre Rainha colhida
pelas intrigas do Paço,
pobre Rainha demente,
com os olhos em sobressalto,
a gemer: "Inferno... Inferno..."
com seus lábios sem pecado.)

Tudo leva na memória
o Alferes, que sabe o amargo
fim do seu precário corpo
diante do povo assombrado.

(Águas, montanhas, florestas,
negros nas minas exaustos...
– Bem podíeis ser, caminhos,
de diamante ladrilhados...)
Tudo leva na memória:
em campos longos e vagos,
tristes mulheres que ocultam
seus filhos desamparados...
Longe, longe, longe, longe,
no mais profundo passado...
– pois agora é quase um morto,
que caminha sem cansaço,
que por seu pé sobe à forca,
diante daquele aparato...

Pois agora é quase um morto,
partido em quatro pedaços,
e – para que Deus o aviste –
levantado em postes altos.

(Caminha a Bandeira
da Misericórdia.
Caminha, piedosa,
nos ares erguida,
mais alta que a tropa.
Da forca se avista
a Santa Bandeira
da Misericórdia.)

Romance LXI ou Dos Domingos do Alferes

Quando sua mãe sonhava,
como uma simples menina,
já falava nesse nome
DOMINGOS.
Domingos Xavier Fernandes,
que era o nome de seu pai.

Quando a menina dizia,
agora, já mulher feita,
DOMINGOS,
– era Domingos da Silva
dos Santos. Outro Domingos.
Domingos com quem casou.

E quando, depois, sorria,
estudando para mãe,
DOMINGOS,
Domingos, – ia dizendo.
E assim ao primeiro filho
Domingos chamou, também.

Esse nome de Domingos
por toda a parte o seguira.
DOMINGOS:
na infância ao longe deixada,
na adolescência perdida,
em todo tempo e lugar...

— Ah, Domingos de Abreu Vieira,
quem batizará meu filho?
DOMINGOS,
meu amigo poderoso,
as coisas vão levar volta,
quem sabe o que vou passar?

Domingos sobre domingos
nas folhas dos calendários:
Domingos
— para a carta de Silvério,
para a subida à Cachoeira,
para a denúncia vocal...

Ai! de domingo em domingo,
chega ao caminho do Rio.
DOMINGOS!
Encontra Domingos Pires:
"Leva pólvora, Domingos,
que a venderás muito bem!"

Domingos conta a Domingos...
(É nome predestinado!)
DOMINGOS!
Já se desenrola a história...
Já vem da Vila à Cidade,
do Visconde ao Vice-Rei...

E, como vê sentinelas
sobre os seus passos rodarem,
DOMINGOS!
Sobe por aquela escada,
envolto na noite escura
como um criminoso vil.

E era a casa de Domingos,
na Rua dos Latoeiros:
DOMINGOS!
Entre as imagens de prata,
banquetas e crucifixos,
Domingos Fernandes Cruz.

> *Era a casa de Domingos...*
> *e era em dia de domingo...*
> *DOMINGOS!*
> *– último dia de sonho,*
> *que, agora, os domingos todos*
> *são domingos de prisão.*

Certa manhã tenebrosa,
no campo de São Domingos,
DOMINGOS!
(Sempre o nome de Domingos)
lhe apontaram a alta forca
de vinte e cinco degraus.

E num dia de domingo
seus quartos foram salgados.
DOMINGOS!
– despachados para os sítios
onde alguém o tinha ouvido
falar de conspiração...

> *Lá vai cortado em pedaços,*
> *lá vai pela serra acima...*
> *DOMINGOS!*
> *Domingos Rodrigues Neves,*
> *com os oficiais de justiça,*
> *tranquilamente o conduz.*

Romance LXII ou Do bêbedo descrente

Vi o penitente
de corda ao pescoço.
A morte era o menos:
mais era o alvoroço.
Se morrer é triste,
por que tanta gente
vinha para a rua
com cara contente?

    (Ai, Deus, homens, reis, rainhas...
    Eu vi a forca – e voltei.
    Os paus vermelhos que tinha!)

Batiam os sinos,
rufavam tambores,
havia uniformes,
cavalos com flores...
– Se era um criminoso,
por que tantos brados,
veludos e sedas
por todos os lados?

    (Quando me respondereis?)

Parecia um santo,
de mãos amarradas,
no meio de cruzes,
bandeiras e espadas.
– Se aquela sentença

já se conhecia,
por que retardaram
a sua agonia?

(Não soube. Ninguém sabia.)

Traziam-lhe cestas
de doce e de vinho
para ganhar forças
naquele caminho.
— Se era condenado
e iam dar-lhe morte,
por que ainda queriam
que morresse forte?

(Ninguém sabia. Não sei.)

Não era uma festa.
Não era um enterro.
Não era verdade
e não era erro.
— Então por que se ouvem
salmo e ladainha,
se tudo é vontade
da nossa Rainha?

(Deus, homens, rainhas, reis...
Que grande desgraça a minha!
— Nunca vos entenderei!)

Romance LXIII ou Do silêncio do Alferes

"Vou trabalhar para todos!"
– disse a voz no alto da estrada.
Mas o eco andava tão longe!
E os homens, que estavam perto,
não repercutiam nada...

"Bebamos, pois, ao futuro!"
– exclamara na pousada.
Todos beberam com ele,
todos estavam de acordo.
E agora não sabem nada.

"Levai bem pólvora e chumbo!"
– disse a voz aos da boiada.
Mas o rosilho passava,
e os homens riam-se dela,
sem lhe responderem nada.

"Quem me segue? Que me querem?"
– pergunta a voz espantada.
Mas o traidor escondido
e as sentinelas esquivas
não lhe esclarecem mais nada.

Já se afastam os amigos,
e já não tem mais amada.
Leva uma dobla no bolso,
leva uma estrela no sonho,
e uma tristeza sem nada.

("Ah se eu me apanhasse em Minas...")
— suspira a voz fatigada.
Mas largo é o rio na serra!
"Quem tivesse uma canoa..."
(Não servira para nada...)

*(Já vão subindo os algozes,
com duros passos na escada.
No bacamarte que empunha,
há quatro dedos de chumbo,
porém não dispara nada.*

*Tanto tempo na masmorra!
Tanta coisa mal contada!
Os outros têm privilégios,
amigos, ouro, parentes...
Só ele é que não tem nada.*

*E vós bem sabeis, ó Vilas,
e tu bem sabes, estrada,
quem galopava essa terra,
quem servia, quem sofria
por quem não fazia nada!*

*Dizem que por sua língua
anda a terra emaranhada...
Pois quem quiser faça agora
perguntas sobre perguntas,
— que já não responde nada.*

*Já lhe vão tirando a vida.
Já tem a vida tirada.
Agora é puro silêncio,*

repartido aos quatro ventos,
já sem lembrança de nada.)

Romance LXXXIV ou Dos cavalos da Inconfidência

Eles eram muitos cavalos,
ao longo dessas grandes serras,
de crinas abertas ao vento,
a galope entre águas e pedras.
Eles eram muitos cavalos,
donos dos ares e das ervas,
com tranquilos olhos macios,
habituados às densas névoas,
aos verdes prados ondulosos,
às encostas de árduas arestas,
à cor das auroras nas nuvens,
ao tempo de ipês e quaresmas.

Eles eram muitos cavalos
nas margens desses grandes rios
por onde os escravos cantavam
músicas cheias de suspiros.
Eles eram muitos cavalos
e guardavam no fino ouvido
o som das catas e dos cantos,
a voz de amigos e inimigos,
– calados, ao peso da sela,
picados de insetos e espinhos,
desabafando o seu cansaço
em crepusculares relinchos.

Eles eram muitos cavalos,
– rijos, destemidos, velozes –
entre Mariana e Serro Frio,

Vila Rica e Rio das Mortes.
Eles eram muitos cavalos,
transportando no seu galope
coronéis, magistrados, poetas,
furriéis, alferes, sacerdotes.
E ouviam segredos e intrigas,
e sonetos e liras e odes:
testemunhas sem depoimento,
diante de equívocos enormes.

Eles eram muitos cavalos,
entre Mantiqueira e Ouro Branco,
desmanchando o xisto nos cascos,
ao sol e à chuva, pelos campos,
levando esperanças, mensagens,
transmitidas de rancho em rancho.
Eles eram muitos cavalos,
entre sonhos e contrabandos,
alheios às paixões dos donos,
pousando os mesmos olhos mansos
nas grotas, repletas de escravos,
nas igrejas, cheias de santos.

Eles eram muitos cavalos:
e uns viram correntes e algemas,
outros, o sangue sobre a forca,
outros, o crime e as recompensas.
Eles eram muitos cavalos:
e alguns foram postos à venda,
outros ficaram nos seus pastos,
e houve uns que, depois da sentença,
levaram o Alferes cortado
em braços, pernas e cabeça.

E partiram com sua carga
na mais dolorosa inocência.

Eles eram muitos cavalos.
E morreram por esses montes,
esses campos, esses abismos,
tendo servido a tantos homens.
Eles eram muitos cavalos,
mas ninguém mais sabe os seus nomes,
sua pelagem, sua origem...
E iam tão alto, e iam tão longe!
E por eles se suspirava,
consultando o imenso horizonte!
— Morreram seus flancos robustos,
que pareciam de ouro e bronze.

Eles eram muitos cavalos.
E jazem por aí, caídos,
misturados às bravas serras,
misturados ao quartzo e ao xisto,
à frescura aquosa das lapas,
ao verdor do trevo florido.
E nunca pensaram na morte.
E nunca souberam de exílios.
Eles eram muitos cavalos,
cumprindo seu duro serviço.
A cinza de seus cavaleiros
neles aprendeu tempo e ritmo,
e a subir aos picos do mundo...
e a rolar pelos precipícios...

Pequeno oratório de Santa Clara

Eco

Cantara ao longe Francisco,
jogral de Deus deslumbrado.
Quem se mirara em seus olhos,
seguira atrás de seu passo!
(Um filho de mercadores
pode ser mais que um fidalgo,
se Deus o espera
com seu comovido abraço...)
Ah! que celeste destino,
ser pobre e andar a seu lado!
Só de perfeita alegria
levar repleto o regaço!
Beijar leprosos,
sem se sentir enojado!
Converter homens e bichos!
Falar com os anjos do espaço!...
(Ah! quem fora a sombra, ao menos,
desse jogral deslumbrado!)

CLARA

Voz luminosa da noite,
feliz de quem te entendia!
(Num palácio mui guardado,
levantou-se uma menina:
já não pode ser quem era,
tão bem guarnida,
com seus vestidos bordados,
de veludo e musselina;
já não quer saber de noivos:
outra é a sua vida.
Fecha as portas, desce a treva,
que com seu nome ilumina.
Que são lágrimas?
Pelo silêncio caminha...)
Um vasto campo deserto,
a larga estrada divina!
Ah! feliz itinerário!
Sobrenatural partida!

VIDA

Do pano mais velho usava.
Do pão mais velho comia.
Num leito de vides secas,
e de cilícios vestida,
em travesseiro de pedra,
seu curto sono dormia.
Cada vez mais pobre
tinha de ser sua vida,
entre orações e trabalhos
e milagres que fazia,
a salvar a humanidade
dolorida.
Mãos no altar, a acender luzes,
pés na pedra fria.
Humilde, entre as companheiras;
diante do mal, destemida,
Irmã Clara, em seu mosteiro,
tênue vivia.

Luz

Por um santo que encontrara,
há tanto tempo,
alegremente deixara
o mundo, de estranho enredo,
para viver pobrezinha,
no maior contentamento,
longe de maldades,
livre de rancor e medo,
a vencer pecados,
a servir enfermos...
Já está morta. E é tão ditosa
como quem sai de um degredo.
O Papa Inocêncio IV
põe-lhe o seu anel no dedo.
Cardeais, abades, bispos
fazem o mesmo.
(Mais que as grandes joias, brilha
seu nome, no tempo!)

Glória

Já seus olhos se fecharam.
E agora rezam-lhe ofícios.
(Tecem-lhe os anjos grinaldas,
no divino Paraíso.
"Pomba argêntea!" – cantam.
"Estrela claríssima!")
– Irmã Clara, humilde foste,
muito além do que é preciso!...
– O caminho me ensinaste:
o que fiz foi vir contigo...
(Assim conversam, gloriosos,
Santa Clara e São Francisco.
Cantam os anjos alegres:
Vede o seu sorriso!)
Que assim partem deste mundo
os santos, com seus serviços.
Entre os humanos tormentos,
são exemplo e aviso,
pois estamos tão cercados
de ciladas e inimigos!
"Santa! Santa! Santa Clara!"
os anjos cantam.

(E aqui com Deus finalizo.)

CANÇÕES

Inesperadamente,
a noite se ilumina:
que há uma outra claridade
para o que se imagina.

Que sobre-humana face
vem dos caules da ausência
abrir na noite o sonho
de sua própria essência?

Que saudade se lembra
e, sem querer, murmura
seus vestígios antigos
de secreta ventura?

Que lábio se descerra
e – a tão terna distância! –
conversa amor e morte
com palavras da infância?

O tempo se dissolve:
nada mais é preciso,
desde que te aproximas,
porta do Paraíso!

Há noite? Há vida? Há vozes?
Que espanto nos consome,
de repente, mirando-nos?
(Alma, como é teu nome?)

Como num exílio,
como nas guerras,
meu amigo é morto,
sem nenhum conforto,
em longes terras.

Para consolá-lo,
mandei-lhe versos.
Porém, nada acalma
cuidados da alma
no amor dispersos.

Palavras, palavras,
sobre uma vida.
Ai, ninguém socorre!
Meu amigo morre
sem despedida.

Andamos tão longe!
tão separados!
Morto é o meu amigo,
entre um mar antigo
e céus toldados.

Mas tudo é tão belo,
embora triste,
que já não me importa
sua vida morta,
se em mim subsiste.

Por que nome chamaremos
quando nos sentirmos pálidos
sobre os abismos supremos?

De que rosto, olhar, instante,
veremos brilhar as âncoras
para as mãos agonizantes?

Que salvação vai ser essa,
com tão fortes asas súbitas,
na definitiva pressa?

Ó grande urgência do aflito!
Ecos de misericórdia
procuram lágrima e grito,

— andam nas ruas do mundo,
pondo sedas de silêncio
em lábios de moribundo.

De longe te hei de amar,
– da tranquila distância
em que o amor é saudade
e o desejo, constância.

Do divino lugar
onde o bem da existência
é ser eternidade
e parecer ausência.

Quem precisa explicar
o momento e a fragrância
da Rosa, que persuade
sem nenhuma arrogância?

E, no fundo do mar,
a Estrela, sem violência,
cumpre a sua verdade,
alheia à transparência.

Dos campos do Relativo
escapei.
Se perguntam como vivo,
que direi?

De um salto firme e tremendo,
— tão de além! —
chega-se onde estou vivendo
sem ninguém.

Gostava de estar contigo:
mas fugi.
Hoje, o que sonho, consigo,
já sem ti.

Verei, como quem sempre ama,
que te vais.
Não se volta, não se chama
nunca mais.

Os campos do Relativo
serão teus.
Se perguntam como vivo?
— De adeus.

Nadador

O que me encanta é a linha alada
das tuas espáduas, e a curva
que descreves, pássaro da água!

É a tua fina, ágil cintura,
e esse adeus da tua garganta
para cemitérios de espuma!

É a despedida, que me encanta,
quando te desprendes ao vento,
fiel à queda, rápida e branda.

E apenas por estar prevendo,
longe, na eternidade da água,
sobreviver teu movimento...

EQUILIBRISTA

Alto, pálido vidente,
caminhante do vazio,
cujo solo suficiente
é um frágil, aéreo fio!

Sem transigência nenhuma,
experimentas teu passo,
com levitações de pluma
e rigores de compasso.

No mundo, jogam à sorte,
detrás de formosos muros,
à espera de tua morte
e dos despojos futuros.

E tu, cintilante louco,
vais, entre a nuvem e o solo,
só com teu ritmo – tão pouco!
Estrela no alto do polo.

METAL ROSICLER

1

Não perguntavam por mim,
mas deram por minha falta.
Na trama da minha ausência,
inventaram tela falsa.

Como eu andava tão longe,
numa aventura tão larga,
entregue à metamorfose
do tempo fluido das águas;
como descera sozinho
os degraus da espuma clara,
e o meu corpo era silêncio
e era mistério minha alma,
— cantou-se a fábula incerta,
segundo a linguagem da harpa:
mas a música é uma selva
de sal e areia na praia,
um arabesco de cinza
que ao vento do mar se apaga.

E o meu caminho começa
nessa franja solitária,
no limite sem vestígio,
na translúcida muralha
que opõem o sonho vivido
e a vida apenas sonhada.

5

Estudo a morte, agora,
– que a vida não se vive,
pois é simples declive
para uma única hora.

E nascemos! E fomos
tristes crianças e adultos
ignorantes e cultos,
de incoerentes assomos.

E em mistério transidos,
e em segredo profundo,
voltamos deste mundo
como recém-nascidos.

Que um sinal nos acolha
nesses sítios extremos,
pois vamos como viemos,
sem ser por nossa escolha;

e quem nos traz e leva
sabe por que é preciso
do Inferno ao Paraíso
andar de treva em treva...

8

À beira d'água moro,
à beira d'água,
da água que choro.

Em verdes mares olho,
em verdes mares,
flor que desfolho.

Tudo o que sonho posso,
tudo o que sonho.
E me alvoroço.

Que a flor nas águas solto,
e em flor me perco
mas em saudade volto.

9

Falou-me o afinador de pianos, esse
que mansamente escuta cada nota
e olha para os bemóis e sustenidos
ouvindo e vendo coisa mais remota.
E estão livres de engano os seus ouvidos
e suas mãos que em cada acorde acordam
os sons felizes de viverem juntos.

"Meu interesse é de desinteresse:
pois música e instrumento não confundo,
que afinador apenas sou, do piano,
a letra da linguagem desse mundo
que me eleva a conviva sobre-humano.
Oh! que Física nova nesse plano
para outro ouvido, sobre outros assuntos..."

10

Em colcha florida
me deitei.
Pássaros pintados
escutei.
Grinaldas nos ares
contemplei.

Da morte e da vida
me lembrei.
Dias acabados
lamentei.

(Flores singulares
não bordei.
A canção trazida
não cantei.

Naveguei tormentas pelos quatro lados.
Não as amansei!
Ó grinaldas, flores, pássaros pintados,
como dormirei?)

11

Chuva fina,
matutina,
manselinho orvalho quase:
névoa tênue sobre a selva,
pela relva,
desdobrada, etérea gaze.

Chuva fina,
matutina,
o pardal de úmidas penas,
a folhagem e a formosa
clara rosa,
sonham que és seu sonho, apenas.

Chuva fina,
matutina,
pelo sol evaporada,
como sonho pressentida
e esquecida
no clarão da madrugada.

Chuva fina,
matutina:
brilham flores, brilham asas
brilham as telhas das casas
em tuas águas velidas
e em teu silêncio brunidas...

Chuva fina,
matutina,
que te foste a outras paragens.
Invisível peregrina,
clara operária divina,
entre límpidas viagens.

13

Levam-me estes sonhos por estranhas landas,
charnecas, desertos, planaltos de neve
muito desolados.

Pessoas que adoro mostram-me outros rostos
que eu desejaria que nunca tivessem
nem mesmo sonhados.

E fico tão triste nestes longos sonhos
e não ouso... E assisto a esta decadência
por todos os lados.

Venho destes sonhos como de outras eras.
Neles embranquecem meus cabelos, ficam
meus lábios parados.

E mais tarde encontro meus sonhos na vida,
somente esses sonhos, somente esses sonhos
todos realizados.

14

Oh, quanto me pesa
este coração, que é de pedra.
Este coração que era de asas,
de música e tempo de lágrimas.

Mas agora é sílex e quebra
qualquer dura ponta de seta.

Oh, como não me alegra
ter este coração de pedra.

Dizei, por que assim me fizestes,
vós todos a quem amaria,
mas não amarei, pois sois estes
que assim me deixastes amarga,
sem asas, sem música e lágrimas,

assombrada, triste e severa
e com meu coração de pedra.

Oh, quanto me pesa
ver meu puro amor que se quebra!
Amor que era tão forte e voava
mais que qualquer seta!

23

Chovem duas chuvas:
de água e de jasmins
por estes jardins
de flores e nuvens.

Sobem dois perfumes
por estes jardins:
de terra e jasmins,
de flores e chuvas.

E os jasmins são chuvas
e as chuvas, jasmins,
por estes jardins
de perfume e nuvens.

25

Com sua agulha sonora
borda o pássaro o cipreste:
rosa ruiva da aurora,
folha celeste.

E com tesoura sonora
termina o bordado aéreo.
Silêncio. E agora
parte para o mistério.

A ruiva rosa sonora
com sua folha celeste
imperecível mora
no cipreste.

28

Sob os verdes trevos que a tarde
rocia com o mais leve aljofre,
tonta, a borboleta procura
uma posição para a morte.

Oh! de que morre? Por que morre?
De nada. Termina. Esvaece.
Retorna a outras mobilidades,
recompõe-se em íris celestes.

Nos verdes trevos pousa, cega,
à procura de um brando leito.
Altos homens... Árvores altas...
Igrejas... Nuvens... Pensamento...

Não... Tudo extremamente longe!
O mundo não diz nada à vida
que sozinha oscila nos trevos,
embalando a própria agonia.

Que diáfana seda, que sonho,
que aérea túnica tão fina,
que invisível desenho esparso
de outro casulo agora fia?

Secreto momento inviolado
que ao tempo, sem queixa, devolve
as asas tênues, tão pesadas
no rarefeito céu da morte!

Sob os verdes trevos que a noite
no chão silenciosos dissipa,
jaz a frágil carta sem dono:
– escrita? lida? – Restituída.

36

Não temos bens, não temos terra
e não vemos nenhum parente.
Os amigos já estão na morte
e o resto é incerto e indiferente.
Entre vozes contraditórias,
chama-se Deus onipotente:
Deus respondia, no passado,
mas não responde, no presente.
Por que esperança ou que cegueira
damos um passo para a frente?
Desarmados de corpo e de alma,
vivendo do que a dor consente,
sonhamos falar – não falamos;
sonhamos sentir – ninguém sente;
sonhamos viver – mas o mundo
desaba inopinadamente.

E marchamos sobre o horizonte:
cinzas no oriente e no ocidente;
e nem chegada nem retorno
para a imensa turba inconsciente.
A vida apenas à nossa alma
brada este aviso imenso e urgente?

Sonhamos ser. Mas ai, quem somos,
entre esta alucinada gente?

37

Os anjos vêm abrir os portões da alta noite,
justamente quando o sono é mais profundo
e o silêncio mais amplo.

Rodam as portas e suspiramos subitamente.

Chegam os anjos com suas músicas douradas,
a túnica cheia de aragens celestes
e cantam na sua fluida linguagem ininteligível.

Então as árvores aparecem com flores e frutos,
a lua e o sol entrelaçam seus raios
o arco-íris solta suas fitas
e todos os animais estão presentes,
misturados às estrelas,
com suas cores, expressões e índoles.

Vêm os anjos abrir os portões da alta noite.

E compreendemos que não há mais tempo,
que esta é a última visão,
e que as nossas mãos se levantam para os adeuses,
e os nossos pés se desprendem da terra,
para o voo anunciado e sonhado
desde o princípio dos nascimentos.

Os anjos nos estendem seus convites divinos.
E sonhamos que já não sonhamos.

41

Cada palavra uma folha
no lugar certo.

Uma flor de vez em quando
no ramo aberto.

Um pássaro parecia
pousado e perto.

Mas não: que ia e vinha o verso
pelo universo.

46

Em seda tão delida,
em laços tão sem cor,
esteve a nossa vida
pelo tempo do amor.

E eis o espelho tão baço,
e o ar sem repercussão,
para a chegada e o abraço
e a voz do coração.

Eis a fechada porta.
Quem podia supor!
— mesmo a saudade é morta,
quase, quase sem dor.

Rios de serenata
para o mar levarão
o que morre, o que mata
e o que é recordação.

Poemas escritos na Índia

Multidão

Mais que as ondas do largo oceano
e que as nuvens nos altos ventos,
corre a multidão.

Mais que o fogo em floresta seca,
luminosos, flutuantes, desfrisados vestidos
resvalam sucessivos,
entre as pregas, os laços, as pontas soltas
dos embaralhados turbantes.

Aonde vão esses passos pressurosos, Bhai?
A que encontro? a que chamado?
em que lugar? por que motivo?

Bhai, nós, que parecemos parados,
por acaso estaremos também,
sem o sentirmos,
correndo, correndo assim, Bhai, para tão longe,
sem querermos, sem sabermos para onde,
como água, nuvem, fogo?

Bhai, quem nos espera, quem nos receberá,
quem tem pena de nós,
cegos, absurdos, erráticos,
a desabarmos pelas muralhas do tempo?

Pobreza

Não descera de coluna ou pórtico,
apesar de tão velho;
nem era de pedra,
assim áspero de rugas;
nem de ferro,
embora tão negro.

Não era uma escultura,
ainda que tão nítido,
seco,
modelado em fundas pregas de pó.

Não era inventado, sonhado,
mas vivo, existente,
imóvel testemunha.

Sua voz quase imperceptível
parecia cantar – parecia rezar
e apenas suplicava.
E tinha o mundo em seus olhos de opala.

Ninguém lhe dava nada.
Não o viam? Não podiam?
Passavam. Passávamos.
Ele estava de mãos postas
e, ao pedir, abençoava.

Era um homem tão antigo
que parecia imortal.
Tão pobre
que parecia divino.

Canção do menino que dorme

Quente é a noite,
o vento não vem.
E o menino dorme tão bem!

Menino de rosto de tâmara,
tênue como a palha do arroz,
os bosques da noite vão tirando sonhos
de dentro de cada flor.

Águas tranquilas, com búfalos mansos,
elefantes de arco-íris na tromba.
Pássaros que cantam nas varandas verdes
das mangueiras redondas.

Ah, os macaquinhos do tempo de Rama
constroem rendadas pontes de bambu,
menino de luz e colírio,
são de ouro e de açúcar os pavões azuis!

Passam como deusas noivas escondidas
em cortinas de seda encarnada:
em volta são grades e grades de música,
de dança, de flores, de véus de ouro e prata.

Quente é a noite,
o vento não vem.
E o menino dorme tão bem!

Oh, a monção que levanta as nuvens,
que faz explodir os trovões,
não leva os meninos de retrós e sândalo,
tênues como a palha do arroz!

Os cavalinhos de Delhi

Entre palácios cor-de-rosa,
ao longo dos verdes jardins,
correm os cavalinhos bizarros,
os leves, ataviados cavalinhos de Delhi.

Plumas, flores, colares, xales,
tudo que enfeita a vida está aqui:
penachos de cores brilhantes,
ramais de pedras azuis,
bordados, correntes, pingentes...

Chispam os olhos dos cavalinhos
entre borlas e franjas:
entre laços e flores cintilam os dentes claros
dos leves, ágeis cavalinhos de Delhi.

Os cavalinhos de Delhi são como belas princesas morenas
de flor no cabelo,
aprisionadas em sedas e joias
ou como dançarinas abrindo e fechando véus dourados
e sacudindo suas pulseiras de bogari.

Mas de repente disparam com seus carrinhos encarnados
e parecem cometas loucos, dando voltas pelas ruas,
os caprichosos cavalinhos de Delhi.

BANHO DOS BÚFALOS

Na água viscosa, cheia de folhas,
com franjas róseas da madrugada,
entram meninos levando búfalos.

Búfalos negros, curvos e mansos,
– oh, movimentos seculares! –
odres de leite, sonho e silêncio.

Cheia de folhas, a água viscosa
brilha em seus flancos e no torcido
esculturado lírio dos chifres.

Sobem e descem pela água densa,
finos e esbeltos, por entre as flores,
estes meninos quase inumanos,

com o ar de jovens guias de cegos,
– oh, leves formas seculares –
tão desprendidos de peso e tempo!

O dia límpido, azul e verde
vai levantando seus muros claros
enquanto brincam na água viscosa

estes meninos, por entre as flores,
longe de tudo quanto há no mundo,
estes meninos como sem nome,

nesta divina pobreza antiga,
banhando os dóceis, imensos búfalos,
– oh, madrugadas seculares!

ADOLESCENTE

As solas dos teus pés.
As solas dos teus pés pintadas de vermelho.

De teus pés correndo no verde chão do parque.

As solas dos teus pés brilhando e desaparecendo
sob a orla dourada da seda azul.

(A moça brincava sozinha,
bailava assim, por entre as árvores...)

As campainhas dos tornozelos, pingos d'água
sobre as flores dos teus pés pintados de vermelho.

As solas dos teus pés, pintadas de vermelho,
duas pétalas no tempo.
Duas pétalas rolando para o fim do mundo, ah!

Abaixavam-se, levantavam-se
as solas dos teus pés, pintadas de vermelho.

E no parque, os pavões, também vestidos de sol e céu,
clamavam para os horizontes seus anúncios,
transcendentes e tristes.

As solas dos teus pés correndo para longe,
duas pequenas labaredas.

(A moça brincava sozinha,
ia e vinha assim, com o ar, com a luz...)

Os teus pequenos pés.
O parque.
O mundo.
A solidão.

Passeio

Agora a tarde está cercada de leões de fogo,
ao longo das tamareiras,

mas quando o calor desmaiar em cinza,
iremos ouvir o tênue rumor fresco da água,
— de onde vem? de onde vem? —
iremos passear em redor do túmulo,

ó suave amiga, ó nuvem de musselina branca!

Iremos ouvir sobre o silêncio do tempo
o suspiro da água,
— de onde vem? de onde vem? —
enquanto os pobres adormecem,
escondidos nas suas barbas,
reclinados nas plantas.

No meio da noite morna,
os pobres dormem pelo jardim:
cama de flores,
cortinas de aragem,
o silêncio tecendo sonhos.

Ouviremos a frescura da água,
ó suave amiga, ó nuvem de musselina branca!
— de onde vem? de onde vem? —

Pisaremos com extrema delicadeza,
sem o menor sussurro,

porque os pobres estão sonhando.

Santidade

O Santo passou por aqui.
Tudo ficou bom para sempre,
tal foi sua santidade.

Tudo sem temor.

Até os pássaros, sensíveis e inquietos,
aqui são calmos, comem à nossa mesa,
pousam nos nossos ombros,
e em sua memória não há noção do mal.

Os pássaros não se assustam, não temem,
porque entre os muros dos séculos
andam os passos e as palavras do Santo:
alma e ar do mundo,
som no instinto dos pássaros.

Os pássaros tentam mesmo pousar
nos ventiladores em movimento.
E caem despedaçados de confiança,
aos nossos pés,
os serenos pássaros ainda mornos.

O Santo passou por aqui.
Sua sombra perdura além de qualquer morte.

Oh, entre os muros dos séculos
o ouvido do Santo percebe
a queda humilde
de qualquer vida.

O Santo continua a passar e a ficar para sempre:
podemos tomar nas mãos, pesar, medir,
a notícia da sua santidade,

num pequeno pássaro morto.

CANAVIAL

Cinza.
Branco.
São as moles espadas de zinco
do canavial.

Pardo.
Cinza.
São as rodas dos carros cansados
do canavial.

Preto.
Pardo.
São as perninhas finas das crianças
no canavial.

Cinza.
Branco.
São as canas, as canas cortadas
no canavial.

Pardo.
Preto.
É o caminho que vamos pisando
no canavial.

Preto.
Cinza.
É a poeira do vento fugindo
do canavial.

Pardo.
Pardo.
São os moldes de açúcar já pronto
no canavial.

Branco.
Branco.
É a risada festiva das crianças
no canavial.

Os jumentinhos

Então, à tarde, vêm os jumentinhos
de movimentos um pouco alquebrados,
cinzentos, brancos – e carregados
com as grandes trouxas dos lavadeiros.

Jumentinhos menores que as trouxas
e que os meninos que os vão tangendo:
o pelo áspero, o olho redondo,
jumentinhos-anões, incansáveis,
no ofício que cumprem, dóceis, compreensivos,
por entre pedras, cabanas, ladeiras,
sem o suspiro e a queixa dos homens.

Ó terra pobre, humilde, pensativa,
com os aéreos, versáteis, celestes canteiros
vespertinos de flores de luz e de vento!

As mães contam histórias à sombra dos templos
para meninos tênues, fluidos como nuvens.
E no último reflexo dourado dos jarros
os rostos diurnos vão sendo apagados.

Onde vão descansar os amoráveis jumentinhos,
pequenos, cinzentos, um pouco alquebrados,
que olham para o chão, modestos e calmos,
já sem trouxas às costas, esperando o seu destino?

Como vão dormir estes jumentinhos mansos,
depois dos caminhos, no fim do trabalho?

Que vão sonhar agora estes jumentinhos cinzentos,
de imóveis pestanas brancas, discretos e sossegados,
quando a aldeia estiver quieta, ao clarão da lua,
como um rio sem margens, sem roupas, sem braços...?

MÚSICA

Ia tão longe aquela música, Bhai!
E o luar brilhava. Mas por mais que o luar brilhasse,
não se sabia quem tocava e em que lugar.

Pelos degraus daquela música, Bhai,
podia-se ir além do mundo, além das formas,
e do arabesco das estrelas pelo céu.

Quem tocaria pela solidão, Bhai,
na clara noite – toda azul como o deus Krishna –
alheio a tudo, reclinado contra o mar!

Ia tão longe a tênue música, Bhai!
E era no entanto uma pequena melodia
tímida, triste, em dois ou três límpidos sons.

Tão frágil sopro em flauta rústica, Bhai!
– como o da vida em nossos lábios provisórios...
– amor? queixume, pensamento? – nomes no ar...

Ele tocava sem saber que ouvido, Bhai,
podia haver acompanhado esse momento
da sua rápida presença em frágil voz.

E ia tão longe aquela música, Bhai!
Com quem falava, entre a água e a noite? e que dizia?
(Da vida à morte, que dizemos, Bhai, e a quem?)

Estudantes

Derramam-se as estudantes pela praça,
num lampejo de sedas e braceletes;
cestas de flores,
tapete aberto,
caleidoscópio.

Saltam as tranças luzentes,
desenrolam-se os véus,
ofegam as blusas com cores de pedras preciosas.

O vento incha e enrodilha os vastos calções franzidos,
plasma nos corpos adolescentes panos tenuíssimos.
E o sol ofusca os negros olhos cingidos de colírio.

Grande festa na rua matinal,
sob árvores imensas,
entre tabuleiros de bétel
e grãos amarelos.

As estudantes falam com gestos delicados,
com atitudes de estátua,
enleadas em pulseiras,
e nas mãos, com ideogramas de dança,
levantam cadernos, esquadros,
num bailado novo:

e medem a vida
e descrevem o universo.

Que mundo construirão?

Aparecimento

A casa cheirava a especiarias
e o copeiro deslizava descalço,
levitava em silêncio,
– anjo da aurora entre paredes brancas.

Crepitava na mesa a manga verde
e a esbraseada pimenta.

O dono da casa era ao mesmo tempo
inatual como um rei antigo
e simples e próximo como um parente.

Sua mulher ainda usava um diamante na narina
e em sua cabeça pousavam muitas coroas
de histórias antigas e canções de amor.

E havia a moça, pássaro, princesa,
com uma diáfana voz de sol e flores,
que apenas sussurrava.

Mas no dia seguinte
haveria talvez uma criança.
(Estava ali mesmo, naquele mundo de ouro e seda,
sob aquela diáfana voz de sol e flores.)

Ia nascer amanhã uma criança.

E a casa, no meio do campo,
estendia mil braços ternos e graves

para o céu, para o rio, para o vento,
para o país dos nascimentos,
à espera dessa criança
nua e pequenina,
que apareceria de olhos fechados,
com um breve grito:

já sua alma.

E subiam para Deus fios de incenso, azuis.

Parada

Veremos os jardins perfeitos
e as plantas esmaltadas.

As mulheres ostentarão cascatas de joias,
vestidas das mais finas sedas,
deixando voar daqui para ali
as andorinhas negras e brancas de seus olhos.

Veremos mil crianças delicadas,
leves como a haste do arroz,
contemplando os elefantes enormes,
os canhões, as viaturas,
esses brinquedos cinzentos,
e os bailarinos cintilantes,
com suas molas rítmicas.

Veremos os velhos com um sorriso de milênios,
embrulhados em sabedoria,
deixando passar o rio da vida,
entre as margens da memória.

E homens altivos,
nitidamente limpos,
frescos do banho matinal,
estarão postados no pórtico de nácar do dia,
como estátuas atentas.

Veremos os homens altivos,
serenos e graves,

com um sangue sem violência
e um coração de liberdade,
olhando a sucessão das cenas,
a história do povo,
o festival da Pátria.

E rodam os carros, e soam as músicas,
e a vida tem dimensões novas, acima da morte.

E uma leve brisa muito alegre
desfaz e refaz sobre os corpos de basalto
as pregas brancas dos panos diáfanos.

Tecelagem de Aurangabade

Entre os meninos tão nus
e as – tão pobres! – paredes
prossegue, prossegue
um rio de seda.

Velhos dedos magros,
magros dedos negros
afogam e salvam
flores pela seda.

Os lírios são roxos,
os lírios são verdes,
entre as margens pobres
na água lisa da seda.

E os meninos nuzinhos
passam na transparência
do claro rio de flores,
mas evadidos da seda.

Do outro lado da trama,
seus olhos apenas deixam
orvalhos entre as flores,
areias de luz na seda.

Tão finos, os fios da água!
Lírios roxos e verdes.
E (fora) os meninozinhos
nus (por dentro da seda).

Romãs

Não deixaremos o jardim morrer de sede.
Mali asperge com um pouco d'água as plantas.
Como quem rega? Como quem reza.

Cada vaso recebe cinco ou seis gotas d'água
e mais o amor de Mali, um amor moreno, sério,
de turbante branco.

Não deixaremos o jardim morrer de sede.
Tudo já está calcinado. Pedra, cinza, areia.
Mali sacode a água dos dedos:
sementes de vidro ao sol.

As plantas são magras como donzelas
e assim gentis.

E duas pequenas romãs amadurecem,
rosa e marfim,
num casto vestido de folhas foscas.

Cançãozinha para Tagore

Àquele lado do tempo
onde abre a rosa da aurora,
chegaremos de mãos dadas,
cantando canções de roda
com palavras encantadas.
Para além de hoje e de outrora,
veremos os Reis ocultos,
senhores da Vida toda,
em cuja etérea Cidade
fomos lágrima e saudade
por seus nomes e seus vultos.

Àquele lado do tempo
onde abre a rosa da aurora,
e onde mais do que a ventura
a dor é perfeita e pura,
chegaremos de mãos dadas.

Chegaremos de mãos dadas,
Tagore, ao divino mundo
em que o amor eterno mora
e onde a alma é o sonho profundo
da rosa dentro da aurora.

Chegaremos de mãos dadas
cantando canções de roda.
E então nossa vida toda
será das coisas amadas.

Desenho colorido

Brancas eram as tuas sandálias, Bhai,
brancos os teus vestidos,
e o teu vasto xale de pachemina.

Negros eram os teus olhos, Bhai,
absoluta noite sem estrelas,
noturníssima escuridão
fora do mundo.

Vermelha, a rosa que trazias,
que oferecias juntamente com a aurora,
como recém-cortada do céu.

Em branco, negro e vermelho fica a tua imagem,
Bhai.
Fica o desenho da tua cortesia,
sentido de um mundo antigo
sobrevivendo a todos os desastres:

e a rosa, como tu,
vinha de olhos semicerrados.

Família hindu

Os sáris de seda reluzem
como curvos pavões altivos.
Nas narinas fulgem diamantes
em suaves perfis aquilinos.
Há longas tranças muito negras
e luar e lótus entre os cílios.
Há pimenta, erva-doce e cravo,
crepitando em cada sorriso.

Os dedos bordam movimentos
delicados e pensativos,
como os cisnes em cima da água
e, entre as flores, os passarinhos.
E quando alguém fala é tão doce
como o claro cantar dos rios,
numa sombra de cinamomo,
açafrão, sândalo e colírio.

(Mas quase não se fala nada,
porque falar não é preciso.)

Tudo está coberto de aroma.
Em cada gesto existe um rito.

A alma condescende em ser corpo,
abandonar seu paraíso.
Deus consente que os homens venham
a esta intimidade de amigos,
somente por mostrar que se amam,
que estão no mundo, que estão vivos.

Depois, a música se apaga,
diz-se adeus com lábios tranquilos,
deixa-se a luz, o aroma, a sala,
com os serenos perfis divinos,
sobe-se ao carro dos regressos,
na noite, de negros caminhos...

Canto aos bordadores de Cachemir

Finos dedos ágeis,
como beija-flores,
voais sobre as sedas,
sobre as lãs macias,
com finas agulhas,
  ó bordadores,
semeais primaveras,
recolheis primores.

Os jardins do mundo
aos vossos bordados
não são superiores,
  ó bordadores,
e voais, finos dedos,
para longe, sempre,
para novas sedas,
como beija-flores,
com o bico luzente
de finas agulhas,
  ó bordadores,
atirando fios,
os fios do arco-íris,
recolhendo cores,
desenhando pontos,
inventando flores
que não morrem nunca,
  ó bordadores,
de sol nem de chuva
nem de outros rigores.

TAJ-MAHAL

Somos todos fantasmas
evaporados entre água e frondes,
com o luar e o zumbido do silêncio,
a música dos insetos,
gaze tensa na solidão.

De vez em quando, uma borbulha d'água:
pérola desabrochada,
súbito jasmim de cristal aos nossos pés.

Fantasmas de magnólias, as cúpulas brancas,
orvalhadas de estrelas, na friagem noturna.

Tudo como através de lágrimas,
com as bordas franjadas de antiguidade,
de indecisos limites,
e um vago aroma vegetal, logo esquecido.

Tudo celeste, inumano, intocável,
subtraindo-se ao olhar, às mãos:
fuga das rendas de alabastro e dos jardins minerais,
com lírios de turquesa e calcedônia
pelas paredes;
fuga das escadas pelos subterrâneos.
E os pés naufragando em sombra.

Eis o sono da rainha adorada:
longo sono sob mil arcos, de eco em eco.
(Fuga das vozes, livres de lábios, independentes,
continuando-se...)

Vêm morrer castamente os bogaris sobre os túmulos.

Movem-se apenas sedas, xales de lã,
alvuras: como sem corpo nenhum.

Tudo mais está imóvel, estático:
mesmo o rio, essa vencida espada d'água:
mesmo o lago, esse rosto dormente.

Entre a morte e a eternidade, o amor,
essa memória para sempre.

Foi uma borbulha d'água que ouvimos?
Uma flor que desabrochou?
Uma lágrima na sombra da noite,
em algum lugar?

Anoitecer

Ao longo do bazar brilham pequenas luzes.
A roda do último carro faz a sua última volta.
Os búfalos entram pela sombra da noite,
onde se dispersam.
As crianças fecham os olhos sedosos.
As cabanas são como pessoas muito antigas,
sentadas, pensando.

Uma pequena música toca no fim do mundo.

Uma pequena lua desenha-se no alto céu.

Uma pequena brisa cálida
flutua sobre a árvore da aldeia
como o sonho de um pássaro.

Oh, eu queria ficar aqui,
pequenina.

Praia do fim do mundo

Neste lugar só de areia,
já não terra, ainda não mar,
poderíamos cantar.

Ó noite, solidão, bruma,
país de estrelas sem voz,
que cantaremos nós?

As sombras nossas na praia
podem ser noite e ser mar,
pelo ar e pela água andar.

Mas o canto, mas o sonho,
de que modo encontrarão
o que não é vão?

Cantemos, porém, amigos,
neste impossível lugar
que não é terra nem mar:

na praia do fim do mundo
que não guardará de nós
sombra nem voz.

INÉDITOS

SOLOMBRA

Falo de ti como se um morto apaixonado
falasse ainda em seu amor, sobre a fronteira
onde as coroas desta vida se desmontam.

Sem nada ver, sigo por mapas de esperança:
vento sem braços, vou sonhando encontros certos,
água caída, penso-me em cristal segura.

Ah, meus caminhos, ah, meu rosto, audaz e grave!
O claro sol, as altas sombras, a onda inquieta
e o vasto olhar das grandes noites acordadas!

E abre-se o mundo por mil portas simultâneas.
Quem aparece? E outras mil portas sobre o mundo
se fecham. Tudo se revela tão perene

que eu é que sou translúcida morta.

Humildade

Tanto que fazer!
livros que não se leem, cartas que não se escrevem,
línguas que não se aprendem,
amor que não se dá,
tudo quanto se esquece.

Amigos entre adeuses,
crianças chorando na tempestade,
cidadãos assinando papéis, papéis, papéis...
até o fim do mundo assinando papéis.

E os pássaros detrás de grades de chuva.
E os mortos em redoma de cânfora.

(E uma canção tão bela!)

Tanto que fazer!
E fizemos apenas isto.
E nunca soubemos quem éramos,
nem para quê.

1954

Neste longo exercício de alma...

Ciência, amor, sabedoria,
– tudo jaz muito longe, sempre...
(Imensamente fora do nosso alcance!)

Desmancha-se o átomo,
domina-se a lágrima,
vence-se o abismo:
– cai-se, porém, logo de bruços e de olhos fechados,
e é-se um pequeno segredo
sobre um grande segredo.

Tristes ainda seremos por muito tempo,
embora de uma nobre tristeza,
nós, os que o sol e a lua
todos os dias encontram,
no espelho do silêncio refletidos,
neste longo exercício de alma.

1955

Elegia do tapeceiro egípcio

Bela é a água que corre como a lã clara nos teares.
E vão passando os peixes, que deixam só diáfano esquema.

Leve é o giro das aves, recortado há cinco mil anos;
e as canas e a brisa inventam músicas fictícias
de aéreos estambres, na alta urdidura do tempo.

Grave é o corpo do jovem reclinado em vítreo silêncio,
pálido Osíris que o Nilo agasalha em sábias ondas.

Em seus olhos fechados, donos de cores e linhas eternas,
a memória mistura anjos, profetas e deuses.

Oh! entre esses calmos perfis parados nas ourelas,
o rio mostra ao tecelão a sua morte,
larga tapeçaria que apenas a alma contempla:

sob as canas e os pássaros e as lançadeiras dos peixes rápidos,
sob o dia, sob o mundo, na visão de cenas arcaicas,
o tecelão vai sendo também tecido.

Como a lã clara nos teares, bela e exata, a água que corre
vai bordando o seu vulto,
vai levando suas pálpebras e seus dedos...

Quem pode separar os fios da vida e os fios da água
neste desenho novo que está nascendo em lugar invisível...?

1956

Mapa falso

Quantas coisas pensei sublimes,
merecedoras de longas lágrimas!
Quais eram?
As lágrimas recordo,
e as pensativas planícies
por onde estenderam seus longos rios.

Mas não levam nenhuma voz, essas águas.
Tudo foi afogado e sepulto.

Maiores que as coisas choradas
eram as lágrimas que as choravam.

E sua imagem, de longe, é uma solidão sem mais nenhum sentido:
mapa falso que a nossa viagem abandona,
pois vamos sempre além de tudo, para mais longe...

                                                     1957

Canção do deserto

Pelo horizonte de areias,
reclina-se a voz do canto.
A moça diz muito longe:
"Eu sou a rosa do campo..."

O beduíno para e escuta,
vestido de pensamento,
sozinho entre as margens de ouro
do ar e do deserto imenso.

"Eu sou a rosa do campo..."
E olhando para as ovelhas
sente o chão verde e macio
e flores pelas areias.

"Eu sou a rosa do campo..."
Mas tudo o que ouve e está vendo,
é poeira, apenas, que voa:
o vento da voz ao vento.

1958

Arlequim

A grande sala estava constantemente vazia.
O piano, às vezes, ficava aberto
e exalava um cheiro antigo de madeira, seda, metal.

As estátuas seguravam seus mantos,
olhando e sorrindo, altas e alvas.

E eu parava e ouvia o silêncio:
o silêncio é feito como de muitos guizos,
leves, pequeninos,
campânulas de flor com aragem e orvalho.

Quando abriam as cortinas,
pela vidraça multicor o sol passava
e deitava-se no sofá como um longo Arlequim.

Meu coração batia quase com o mesmo som
daquele relógio de cristal
que então se via brilhar
entre suas pequenas colunas brancas e douradas.

Naquele sofá o Arlequim de luz dormia.

1959

Máquina breve

O pequeno vaga-lume
com sua verde lanterna,
que passava pela sombra
inquietando a flor e a treva
— meteoro da noite, humilde,
dos horizontes da relva;
o pequeno vaga-lume,
queimada a sua lanterna,
jaz carbonizado e triste
e qualquer brisa o carrega:
mortalha de exíguas franjas
que foi seu corpo de festa.

Parecia uma esmeralda,
e é um ponto negro na pedra.
Foi luz alada, pequena
estrela em rápida seta.

Quebrou-se a máquina breve
na precipitada queda.
E o maior sábio do mundo
sabe que não a conserta.

1960

FAMÍLIA

Temos uma família desfeita na terra:
(ó ternos corações, ó fechados olhos onde costumávamos habitar!)
mas dessa não temos notícia:
e o nosso amor é uma rosa sobre muros de sombra.

Temos uma família muito distante,
em aposentos que não vemos, em países que jamais iremos visitar!
Dessa temos notícias, eventualmente:
mas o nosso amor é uma rosa que murcha incomunicável.

Temos uma família próxima, algumas vezes,
que se move, e nos fala, e nos vê,
mas entre nós pode não haver notícias:
e o nosso amor é um muro sem rosas.

Temos muitas famílias, havidas e sonhadas.
São as nuvens do céu que levamos sobre a alma,
as espumas do mar que vamos pisando.
Nós, porém, continuamos viajantes solitários:
e a rosa que levamos no coração, comovida,
também se desfolha.

(Ou pode ser que, afinal, a rosa seja unânime
e eterna,
em sobre-humana família.)

1961

As glórias do vento

Naquele tempo univalve
havia a música: havia
o ir e o vir da alegria
com seu nome e clave.

A pedra do eco, essa pedra
palpitante de ar, mandava
suaves recados à brava
solidão da terra.

E dos hinos e dos prantos
restavam serenas vozes
e os instantes mais atrozes
tinham som de humanos.

Depomos agora as harpas,
já que os muros de cimento
matam as glórias do vento
sob muitas capas.

1962

Urnas e brisas

Entre estas urnas tão claras e lisas,
escolherei a das minhas cinzas,

embora me pareça que as brisas
são urnas mais claras, mais lisas, mais finas,

e levem mais longe essas leves cinzas
que restarem de tão breves ruínas...

         1963

Cronologia

1901

A 7 de novembro, nasce Cecília Benevides de Carvalho Meirelles, no Rio de Janeiro. Seus pais, Carlos Alberto de Carvalho Meirelles (falecido três meses antes do nascimento da filha) e Mathilde Benevides. Dos quatro filhos do casal, apenas Cecília sobrevive.

1904

Com a morte da mãe, passa a ser criada pela avó materna, Jacintha Garcia Benevides.

1910

Conclui com distinção o curso primário na Escola Estácio de Sá.

1912

Conclui com distinção o curso médio na Escola Estácio de Sá, premiada com medalha de ouro recebida no ano seguinte das mãos de Olavo Bilac, então inspetor escolar do Distrito Federal.

1917

Formada pela Escola Normal (Instituto de Educação), começa a exercer o magistério primário em escolas oficiais do Distrito. Estuda línguas e em seguida ingressa no Conservatório de Música.

1919

Publica o primeiro livro, *Espectros*.

1922

Casa-se com o artista plástico português Fernando Correia Dias.

1923

Publica *Nunca mais... e Poema dos poemas*. Nasce sua filha Maria Elvira.

1924

Publica o livro didático *Criança meu amor...* Nasce sua filha Maria Mathilde.

1925

Publica *Baladas para El-Rei*. Nasce sua filha Maria Fernanda.

1927

Aproxima-se do grupo modernista que se congrega em torno da revista *Festa*.

1929

Publica a tese *O espírito vitorioso*. Começa a escrever crônicas para *O Jornal*, do Rio de Janeiro.

1930

Publica o ensaio *Saudação à menina de Portugal*. Participa ativamente do movimento de reformas do ensino e dirige, no *Diário de Notícias*, página diária dedicada a assuntos de educação (até 1933).

1934

Publica o livro *Leituras infantis*, resultado de uma pesquisa pedagógica. Cria uma biblioteca (pioneira no país) especializada em literatura infantil, no antigo Pavilhão Mourisco, na praia de Botafogo. Viaja a Portugal, onde faz conferências nas Universidades de Lisboa e Coimbra.

1935

Publica em Portugal os ensaios *Notícia da poesia brasileira* e *Batuque, samba e macumba*.
Morre Fernando Correia Dias.

Nomeada professora de literatura luso-brasileira e mais tarde técnica e crítica literária da recém-criada Universidade do Distrito Federal, na qual permanece até 1938.

1937

Publica o livro infantojuvenil *A festa das letras*, em parceria com Josué de Castro.

1938

Publica o livro didático *Rute e Alberto resolveram ser turistas*. Conquista o prêmio Olavo Bilac de poesia da Academia Brasileira de Letras com o inédito *Viagem*.

1939

Em Lisboa, publica *Viagem*, quando adota o sobrenome literário Meireles, sem o *l* dobrado.

1940

Leciona Literatura e Cultura Brasileiras na Universidade do Texas, Estados Unidos. Profere no México conferências sobre literatura, folclore e educação.
Casa-se com o agrônomo Heitor Vinicius da Silveira Grillo.

1941

Começa a escrever crônicas para *A Manhã*, do Rio de Janeiro. Dirige a revista *Travel in Brazil*, do Departamento de Imprensa e Propaganda.

1942

Publica *Vaga música*.

1944

Publica a antologia *Poetas novos de Portugal*. Viaja para o Uruguai e para a Argentina. Começa a escrever crônicas para a *Folha Carioca* e o *Correio Paulistano*.

1945

Publica *Mar absoluto e outros poemas* e, em Boston, o livro didático *Rute e Alberto*.

1947

Publica em Montevidéu *Antologia poética (1923-1945)*.

1948

Publica em Portugal *Evocação lírica de Lisboa*. Passa a colaborar com a Comissão Nacional do Folclore.

1949

Publica *Retrato natural* e a biografia *Rui: pequena história de uma grande vida*. Começa a escrever crônicas para a *Folha da Manhã*, de São Paulo.

1951

Publica *Amor em Leonoreta*, em edição fora de comércio, e o livro de ensaios *Problemas da literatura infantil*.
Secretaria o Primeiro Congresso Nacional de Folclore.

1952

Publica *Doze noturnos da Holanda & O Aeronauta* e o ensaio "Artes populares" no volume em coautoria *As artes plásticas no Brasil*. Recebe o Grau de Oficial da Ordem do Mérito, no Chile.

1953

Publica *Romanceiro da Inconfidência* e, em Haia, *Poèmes*. Começa a escrever para o suplemento literário do *Diário de Notícias*, do Rio de Janeiro, e para *O Estado de S. Paulo*.

1953-1954

Viaja para a Europa, Açores, Goa e Índia, onde recebe o título de Doutora *Honoris Causa* da Universidade de Delhi.

1955

Publica *Pequeno oratório de Santa Clara*, *Pistoia, cemitério militar brasileiro* e *Espelho cego*, em edições fora de comércio, e, em Portugal, o ensaio *Panorama folclórico dos Açores: especialmente da Ilha de S. Miguel*.

1956

Publica *Canções* e *Giroflê, giroflá*.

1957

Publica *Romance de Santa Cecília* e *A rosa*, em edições fora de comércio, e o ensaio *A Bíblia na poesia brasileira*. Viaja para Porto Rico.

1958

Publica *Obra poética* (poesia reunida). Viaja para Israel, Grécia e Itália.

1959

Publica *Eternidade de Israel*.

1960

Publica *Metal rosicler*.

1961

Publica *Poemas escritos na Índia* e, em Nova Delhi, *Tagore and Brazil*.
Começa a escrever crônicas para o programa *Quadrante*, da Rádio Ministério da Educação e Cultura.

1962

Publica a antologia *Poesia de Israel*.

1963

Publica *Solombra* e *Antologia poética*. Começa a escrever crônicas para o programa *Vozes da cidade*, da Rádio Roquette-Pinto, e para a *Folha de S.Paulo*.

1964

Publica o livro infantojuvenil *Ou isto ou aquilo*, com ilustrações de Maria Bonomi, e o livro de crônicas *Escolha o seu sonho*. Falece a 9 de novembro, no Rio de Janeiro.

1965

Conquista, postumamente, o Prêmio Machado de Assis da Academia Brasileira de Letras, pelo conjunto de sua obra.

Bibliografia básica sobre Cecília Meireles

ANDRADE, Mário de. Cecília e a poesia. In: _____. *O empalhador de passarinho*. São Paulo: Martins, [1946].

_____. Viagem. In: _____. *O empalhador de passarinho*. São Paulo: Martins, [1946].

AZEVEDO FILHO, Leodegário A. de (Org.). Cecília Meireles. In: _____. (Org.). *Poetas do modernismo*: antologia crítica. Brasília: Instituto Nacional do Livro, 1972. v. 4.

_____. *Poesia e estilo de Cecília Meireles*: a pastora de nuvens. Rio de Janeiro: José Olympio, 1970.

_____. *Três poetas de* Festa: Tasso, Murillo e Cecília. Rio de Janeiro: Padrão, 1980.

BANDEIRA, Manuel. *Apresentação da poesia brasileira*. São Paulo: Cosac Naify, 2009.

BERABA, Ana Luiza. *América aracnídea:* teias culturais interamericanas. Rio de Janeiro: Civilização Brasileira, 2008.

BLOCH, Pedro. Cecília Meireles. *Entrevista*: vida, pensamento e obra de grandes vultos da cultura brasileira. Rio de Janeiro: Bloch, 1989.

BONAPACE, Adolphina Portella. *O Romanceiro da Inconfidência*: meditação sobre o destino do homem. Rio de Janeiro: Livraria São José, 1974.

BOSI, Alfredo. Em torno da poesia de Cecília Meireles. In: _____. *Céu, inferno*: ensaios de crítica literária e ideológica. São Paulo: Duas Cidades/Editora 34, 2003.

BRITO, Mário da Silva. Cecília Meireles. In: _____. *Poesia do Modernismo*. Rio de Janeiro: Civilização Brasileira, 1968.

CACCESE, Neusa Pinsard. *Festa*: contribuição para o estudo do Modernismo. São Paulo: Instituto de Estudos Brasileiros, 1971.

CANDIDO, Antonio; CASTELLO, José Aderaldo (Orgs.). Cecília Meireles. *Presença da literatura brasileira 3*: Modernismo. 2. ed. São Paulo: Difusão Europeia do Livro, 1967.

CARPEAUX, Otto Maria. Poesia intemporal. In: _____. *Ensaios reunidos*: 1942-1978. Rio de Janeiro: UniverCidade/Topbooks, 1999.

CASTELLO, José Aderaldo. O Grupo *Festa*. In: _____. *A literatura brasileira*: origens e unidade. São Paulo: EDUSP, 1999. v. 2.

CASTRO, Marcos de. Bandeira, Drummond, Cecília, os contemporâneos. In: _____. *Caminho para a leitura*. Rio de Janeiro: Record, 2005.

CAVALIERI, Ruth Villela. *Cecília Meireles*: o ser e o tempo na imagem refletida. Rio de Janeiro: Achiamé, 1984.

COELHO, Nelly Novaes. Cecília Meireles. In: _____. *Dicionário crítico da literatura infantil e juvenil brasileira*. São Paulo: Nacional, 2006.

_____. Cecília Meireles. In: _____. *Dicionário crítico de escritoras brasileiras*: 1711-2001. São Paulo: Escrituras, 2002.

_____. O "eterno instante" na poesia de Cecília Meireles. In: _____. *Tempo, solidão e morte*. São Paulo: Conselho Estadual de Cultura/Comissão e Literatura, 1964.

_____. O eterno instante na poesia de Cecília Meireles. In: _____. *A literatura feminina no Brasil contemporâneo*. São Paulo: Siciliano, 1993.

CORREA, Roberto Alvim. Cecília Meireles. In: _____. *Anteu e a crítica*: ensaios literários. Rio de Janeiro: José Olympio, 1948.

DAMASCENO, Darcy. *Cecília Meireles*: o mundo contemplado. Rio de Janeiro: Orfeu, 1967.

_____. *De Gregório a Cecília*. Organização de Antonio Carlos Secchin e Iracilda Damasceno. Rio de Janeiro: Galo Branco, 2007.

DANTAS, José Maria de Souza. *A consciência poética de uma viagem sem fim*: a poética de Cecília Meireles. Rio de Janeiro: Eu & Você, 1984.

FAUSTINO, Mário. O livro por dentro. In: _____. *De Anchieta aos concretos*. Organização de Maria Eugênia Boaventura. São Paulo: Companhia das Letras, 2003.

FONTELES, Graça Roriz. *Cecília Meireles*: lirismo e religiosidade. São Paulo: Scortecci, 2010.

GARCIA, Othon M. Exercício de numerologia poética: paridade numérica e geometria do sonho em um poema de Cecília Meireles. In: _____. *Esfinge clara e outros enigmas*: ensaios estilísticos. 2. ed. Rio de Janeiro: Topbooks, 1996.

GENS, Rosa (Org.). *Cecília Meireles*: o desenho da vida. Rio de Janeiro: Setor Cultural/Núcleo Interdisciplinar de Estudos da Mulher na Literatura/UFRJ, 2002.

GOLDSTEIN, Norma Seltzer. *Roteiro de leitura*: Romanceiro da Inconfidência de Cecília Meireles. São Paulo: Ática, 1988.

GOUVÊA, Leila V. B. *Cecília em Portugal*: ensaio biográfico sobre a presença de Cecília Meireles na terra de Camões, Antero e Pessoa. São Paulo: Iluminuras, 2001.

_____. (Org.). *Ensaios sobre Cecília Meireles*. São Paulo: Humanitas/FAPESP, 2007.

_____. *Pensamento e "lirismo puro" na poesia de Cecília Meireles*. São Paulo: EDUSP, 2008.

GOUVEIA, Margarida Maia. *Cecília Meireles*: uma poética do "eterno instante". Lisboa: Imprensa Nacional/Casa da Moeda, 2002.

_____. *Vitorino Nemésio e Cecília Meireles*: a ilha ancestral. Porto: Fundação Engenheiro António de Almeida; Ponta Delgada: Casa dos Açores do Norte, 2001.

HANSEN, João Adolfo. Solombra *ou A sombra que cai sobre o eu*. São Paulo: Hedra, 2005.

LAMEGO, Valéria. *A farpa na lira*: Cecília Meireles na Revolução de 30. Rio de Janeiro: Record, 1996.

LINHARES, Temístocles. Revisão de Cecília Meireles. In: _____. *Diálogos sobre a poesia brasileira*. São Paulo: Melhoramentos, 1976.

LÔBO, Yolanda. *Cecília Meireles*. Recife: Massangana/Fundação Joaquim Nabuco, 2010.

MALEVAL, Maria do Amparo Tavares. Cecília Meireles. In: _____. *Poesia medieval no Brasil*. Rio de Janeiro: Ágora da Ilha, 2002.

MANNA, Lúcia Helena Sgaraglia. *Pelas trilhas do* Romanceiro da Inconfidência. Niterói: EdUFF, 1985.

MARTINS, Wilson. Lutas literárias (?). In: _____. *O ano literário*: 2002-2003. Rio de Janeiro: Topbooks, 2007.

MELLO, Ana Maria Lisboa de (Org.). *A poesia metafísica no Brasil:* percursos e modulações. Porto Alegre: Libretos, 2009.

_____. (Org.). *Cecília Meireles & Murilo Mendes (1901-2001)*. Porto Alegre: Uniprom, 2002.

_____; UTÉZA, Francis. *Oriente e ocidente na poesia de Cecília Meireles*. Porto Alegre: Libretos, 2006.

MILLIET, Sérgio. *Panorama da moderna poesia brasileira*. Rio de Janeiro: Ministério da Educação e Saúde/Serviço de Documentação, 1952.

MOISÉS, Massaud. Cecília Meireles. In: _____. *História da literatura brasileira*: Modernismo. São Paulo: Cultrix, 1989.

MONTEIRO, Adolfo Casais. Cecília Meireles. In: _____. *Figuras e problemas da literatura brasileira contemporânea*. São Paulo: Instituto de Estudos Brasileiros, 1972.

MORAES, Vinicius de. Suave amiga. In: _____. *Para uma menina com uma flor*. Rio de Janeiro: Editora do Autor, 1966.

MOREIRA, Maria Edinara Leão. *Estética e transcendência em* O estudante empírico, *de Cecília Meireles*. Passo Fundo: Editora da Universidade de Passo Fundo, 2007.

MURICY, Andrade. Cecília Meireles. In: _____. *A nova literatura brasileira*: crítica e antologia. Porto Alegre: Globo, 1936.

_____. Cecília Meireles. In: _____. *Panorama do movimento simbolista brasileiro*. 2. ed. Brasília: Conselho Federal de Cultura/Instituto Nacional do Livro, 1973. v. 2.

NEJAR, Carlos. Cecília Meireles: da fidência à Inconfidência Mineira, do *Metal rosicler* à *Solombra*. In: _____. *História da literatura brasileira*: da carta de Caminha aos contemporâneos. São Paulo: Leya, 2011.

NEMÉSIO, Vitorino. A poesia de Cecília Meireles. In: _____. *Conhecimento de poesia*. Salvador: Progresso, 1958.

NEVES, Margarida de Souza; LÔBO, Yolanda Lima; MIGNOT, Ana Chrystina Venancio (Orgs.). *Cecília Meireles*: a poética da educação. Rio de Janeiro: Pontifícia Universidade Católica; São Paulo: Loyola, 2001.

OLIVEIRA, Ana Maria Domingues de. *Estudo crítico da bibliografia sobre Cecília Meireles*. São Paulo: Humanitas/USP, 2001.

PAES, José Paulo. Poesia nas alturas. In: _____. *Os perigos da poesia e outros ensaios*. Rio de Janeiro: Topbooks, 1997.

PARAENSE, Sílvia. *Cecília Meireles*: mito e poesia. Santa Maria: UFSM, 1999.

PEREZ, Renard. Cecília Meireles. In: _____. *Escritores brasileiros contemporâneos – 2ª série*: 22 biografias, seguidas de antologia. 2. ed. revista e atualizada. Rio de Janeiro: Civilização Brasileira, 1971.

PICCHIO, Luciana Stegagno. A poesia atemporal de Cecília Meireles, "pastora das nuvens". In: _____. *História da literatura brasileira*. Rio de Janeiro: Nova Aguilar, 1997.

PÓLVORA, Hélio. Caminhos da poesia: Cecília. In: _____. *Graciliano, Machado, Drummond & outros*. Rio de Janeiro: Francisco Alves, 1975.

RAMOS, Péricles Eugênio da Silva. *Solombra*. In: _____. *Do Barroco ao Modernismo*: estudos de poesia brasileira. 2. ed. revista e aumentada. Rio de Janeiro: Livros Técnicos e Científicos, 1979.

RICARDO, Cassiano. *A Academia e a poesia moderna*. São Paulo: Revista dos Tribunais, 1939.

RÓNAI, Paulo. O conceito de beleza em *Mar absoluto*. In: _____. *Encontros com o Brasil*. 2. ed. Rio de Janeiro: Batel, 2009.

_____. Uma impressão sobre a poesia de Cecília Meireles. In: _____. *Encontros com o Brasil*. 2. ed. Rio de Janeiro: Batel, 2009.

SADLIER, Darlene J. *Cecília Meireles & João Alphonsus*. Brasília: André Quicé, 1984.

_____. *Imagery and Theme in the Poetry of Cecília Meireles*: a study of *Mar absoluto*. Madrid: José Porrúa Turanzas, 1983.

SECCHIN, Antonio Carlos. Cecília: a incessante canção. In: _____. *Escritos sobre poesia & alguma ficção*. Rio de Janeiro: EdUERJ, 2003.

_____. Cecília Meireles e os *Poemas escritos na Índia*. In: _____. *Memórias de um leitor de poesia & outros ensaios*. Rio de Janeiro: Topbooks/Academia Brasileira de Letras, 2010.

_____. O enigma Cecília Meireles. In: _____. *Memórias de um leitor de poesia & outros ensaios*. Rio de Janeiro: Topbooks/Academia Brasileira de Letras, 2010.

SIMÕES, João Gaspar. Cecília Meireles: *Metal rosicler*. In: _____. *Crítica II*: poetas contemporâneos (1946-1961). Lisboa: Delfos, s.d.

VERISSIMO, Erico. Entre Deus e os oprimidos. In: _____. *Breve história da literatura brasileira*. São Paulo: Globo, 1995.

VILLAÇA, Antonio Carlos. Cecília Meireles: a eternidade entre os dedos. In: _____. *Tema e voltas*. Rio de Janeiro: Hachette, 1975.

YUNES, Eliana; BINGEMER, Maria Clara L. (Orgs.). *Murilo, Cecília e Drummond*: 100 anos com Deus na poesia brasileira. Rio de Janeiro: Pontifícia Universidade Católica; São Paulo: Loyola, 2004.

ZAGURY, Eliane. *Cecília Meireles*. Petrópolis: Vozes, 1973.

ÍNDICE DE PRIMEIROS VERSOS

À beira d'água moro, ...253
A casa cheirava a especiarias 290
A engrenagem trincou pobre e pequeno inseto. 32
A grande sala estava constantemente vazia. 313
A menina translúcida passa. 99
A mim, o que mais me doera, ...202
A noite não é simplesmente um negrume sem margens nem
[direções. 143
A vastidão desses campos. 188
Agora a tarde está cercada de leões de fogo, ...281
Agora chego e estremeço. 153
Agora é como depois de um enterro. 28
Agora podeis tratar-me 151
Ai daquele que é chegado 158
Ai, palavras, ai, palavras, ...204
Alma divina, ...25
Alta noite, lua quieta, ...42
Alta noite, o pobre animal aparece no morro, em silêncio. 56
Alto, pálido vidente, ...247
Ando à procura de espaço 40
Antes do teu olhar, não era, ...80
Antiga 60
Ao longo do bazar brilham pequenas luzes. 303
Àquele lado do tempo 296
Aqui está minha vida – esta areia tão clara 100
Aquilo que ontem cantava 111
Arrematai o machinho 207
As espumas desmanchadas 83
As solas dos teus pés. 279
Através de grossas portas, ...193
Bela é a água que corre como a lã clara nos teares. 310
Brancas eram as tuas sandálias, Bhai, ...297

Brumoso navio... 65
Cada palavra uma folha.. 266
Cansei-me de anunciar teu nome... 85
Cantar de beira de rio:... 29
Cantara ao longe Francisco,... 233
Cantarão os galos, quando morrermos,.................................... 101
Chovem duas chuvas:.. 260
Chuva fina,.. 256
Ciência, amor, sabedoria,... 309
Cigarra de ouro, fogo que arde,... 44
Cinza.. 284
Com desprezo ou com ternura,.. 160
Com sua agulha sonora... 261
Como chegavas do casulo,... 103
Como num exílio,.. 242
Como num sonho 69
Como o companheiro é morto,.. 105
De longe te hei de amar,.. 244
Deixai-me nascer de novo,.. 72
Derramam-se as estudantes pela praça,.................................. 289
Desejo uma fotografia 45
Dez bailarinas deslizam... 106
Dize-me tu, montanha dura,.. 108
Do pano mais velho usava... 235
Do teu nome não sabia,... 133
Doce peso.. 53
Dorme, meu menino, dorme,... 173
Dos campos do Relativo... 245
E assim no vosso convívio 154
É mais fácil pousar o ouvido nas nuvens 24
Eles eram muitos cavalos,.. 227
Em colcha florida... 255
Em seda tão delida,.. 267
Então, à tarde, vêm os jumentinhos 286
Entre estas urnas tão claras e lisas,.. 317
Entre os meninos tão nus 294

Entre palácios cor-de-rosa,	276
Eras um rosto	112
Escuto a chuva batendo nas folhas, pingo a pingo.	88
Esperemos o embarque, irmão.	109
Esta é a dos cabelos louros	39
Estudo a morte, agora,	252
Eu canto porque o instante existe	19
Eu não tinha este rosto de hoje,	22
Eu vi as altas montanhas	152
Falo de ti como se um morto apaixonado	307
Falou-me o afinador de pianos, esse	254
Finos dedos ágeis,	300
Fiz uma canção para dar-te;	113
Foi trabalhar para todos...	213
Fui mirar-me num espelho	114
Fui morena e magrinha como qualquer polinésia,	76
Gosto da gota d'água que se equilibra	27
Há muito mais noite do que sobre as torres e as pontes:	145
Havia várias imagens	181
Hoje acabou-se-me a palavra,	59
Hoje! Hoje de sol e bruma,	93
Homem ou mulher? Quem soube?	200
Ia tão longe aquela música, Bhai!	288
Inesperadamente,	241
Inglesinha de olhos tênues,	47
(Isso foi lá para os lados	184
Já se ouve cantar o negro,	177
Já seus olhos se fecharam.	237
Leonoreta,	136
Leonoreta,	140
Levam-me estes sonhos por estranhas landas,	258
Leve é o pássaro:	75
Mais que as ondas do largo oceano	271
Meus ouvidos estão como as conchas sonoras:	38
Minha primeira lágrima caiu dentro dos teus olhos.	86
Minha ternura nas pedras	52

Minha tristeza é não poder mostrar-te as nuvens brancas, ... 88
Morrerei, se suspirares. 138
Na água viscosa, cheia de folhas, ... 277
Na quermesse da miséria, ...46
Não deixaremos o jardim morrer de sede. 295
Não descera de coluna ou pórtico, ... 272
Não me peças que cante, ...74
Não perguntavam por mim, ... 251
Não te aflijas com a pétala que voa: 78
Não te fies do tempo nem da eternidade, ... 116
Não temos bens, não temos terra. 264
Naquela nuvem, naquela, ... 115
Naquele tempo univalve 316
Nasce da sombra o dançarino, ... 117
Neste lugar só de areia, ... 304
Neste mês, as cigarras cantam 87
O crepúsculo é este sossego do céu 91
Ó linguagem de palavras 156
O pensamento é triste; o amor, insuficiente; 51
O pequeno vaga-lume 314
O que me encanta é a linha alada 246
O Santo passou por aqui. 282
O tempo seca a beleza, ... 118
Oh, quanto me pesa 259
Os anjos vêm abrir os portões da alta noite, ... 265
Os militares, o clero, ... 215
Os sáris de seda reluzem 298
Para onde vais, assim calado, ...55
Para onde vão minhas palavras, ...54
Passei por essas plácidas colinas 165
Pastora de nuvens, fui posta a serviço 30
Pela noite nemorosa, ... 131
Pelo horizonte de areias, ... 312
Pelo mar azul, ... 119
Por aqui passava um homem 197
Por mais que te celebre, não me escutas, ...73

Por mim, e por vós, e por mais aquilo 58
Por que nome chamaremos 243
Por um santo que encontrara, ... 236
Punhal de prata já eras, ... 26
Pus-me a cantar minha pena 41
Pus o meu sonho num navio 23
Quando sua mãe sonhava, ... 219
Quantas coisas pensei sublimes, ... 311
Quente é a noite, ... 274
Rezando estava a donzela, ... 179
"Sacudia o meu lencinho 170
Se eu fosse apenas uma rosa, ... 122
Se já vai longe a alvorada, ... 210
Se te perguntarem quem era 37
Sede assim – qualquer coisa 67
Sem podridão nenhuma, jazerá um afogado 146
Sob os verdes trevos que a tarde 262
Sobre o campo verde, ... 43
Somos todos fantasmas 301
Súbito pássaro 33
Tanto que fazer! 308
Tão perto! 81
Temos uma família desfeita na terra: 315
Teu nome nas águas 123
Toca essa música de seda, frouxa e trêmula, ... 21
Tudo cabe aqui dentro: 90
Um jardineiro desconhecido se ocupará da simetria 89
Úmido gosto de terra, ... 20
Vejo-te em seda e nácar, ... 71
Venho de caminhar por estas ruas. 79
Veremos os jardins perfeitos 292
Vi a névoa da madrugada 126
Vi o penitente 222
Via-se morrer o amor 124
"Vou trabalhar para todos!" 224
Voz luminosa da noite, ... 234